KB074121

String Theory
끈이론

알마 인코그니타 Alma Incognita
알마 인코그니타는 문학을 매개로,
미지의 세계를 향해 특별한 모험을 떠납니다.

String Theory
끈이론

강박적이고 우울한 사람을 끌어당기는
가장 고독한 경기, 테니스

David Foster Wallace
데이비드 포스터 월리스

노승영 옮김

차례

일러두기

• 단행본은《   》로, 단편 소설, 정기간행물, 영화, 드라마 등은〈   〉로 표시했다.
• 옮긴이 주는 '옮긴이'라고 표시했다.

존 제러마이아 설리번의 서문

  '테니스'는 신기한 단어다. 이 단어는 실제로 존재한 적
이 한 번도 없다. 말하자면 테니스라는 경기는 속속들이 프
랑스적인데도—프랑스의 초기 국왕 중에 테니스장에서 죽
은 사람이 하나도 아닌 둘이요, 프랑스 공화국은 테니스장
에서 '테니스코트의 서약'을 맺음으로써 탄생하지 않았던가
—프랑스인들은 한 번도 '테니스'라고 부르지 않았다. 그들
은 '죄드폼jeu de paume', 즉 '손바닥 경기'라고, 그럴듯하게 직역
하자면 '핸드볼'이라고 불렀다. (처음에는 맨손으로 하다가 이윽
고 장갑을 꼈다가 다음에는 주걱을 들었다가 마지막으로 라켓에 정
착했다.) 프랑스인은 서브를 할 때 종종 "트네Tenez!"라고 말했
다. '공이 가니 고개를 드시오'라는 뜻이다. 우리에게도 상대
방에게 경고하는 관례가 남아 있는데, 공을 튀기기 전에 무

뚝뚝하게 점수를 말하는 것이 그것이다. 이탈리아인들은 프랑스인들이 '트네'라고 말하는 것을 어깨 너머로 듣고 지레짐작하여 경기 이름을 '테네즈ten-ez'로 부르기 시작했다. 유쾌하게 어원을 거슬러 올라가다 보니 피렌체 사람 하나가 담장이나 출입구에서 귀를 쫑긋 세운 모습이 그려진다. 초창기 테니스장은 숲에서 나무를 벤 자리에 짓는 경우가 많았다. 그러면 '트네'가 허공에 울려 퍼졌을 것이다. 윌리엄 포크너의 소설《소리와 분노The Sound and the Fury》에서 벤지가 골퍼들이 "캐디!" 하고 외치는 소리를 듣고서 자기 누나 말하는 줄 오해한 장면이 떠오른다. 이 경우는 프랑스에서 출발한 단어가 언어를 넘나들며 귀족 궁정의 초국적 문화를 거쳐 이탈리아에 당도했다는 점이 다를 뿐이다. 1350년대 즈음에 이 단어는 유럽의 문학에 스며든다. 페트라르카는《운명의 치유에 관하여De remediis utriusque fortunae》에서 인간의 경험을 무지막지하게 집어삼키는 불안에 대해 이렇게 썼다. "그 원인은 우리 자신의 가벼움과 결벽 아니면 무엇이겠는가. 우리는 이리저리 튕기는 테니스공처럼 아무짝에도 쓸모가 없으며, 하루살이 목숨이요 사사건건 전전긍긍하면서도 어느 해안에 배를 대야 할지 모르는 피조물이로다."

테니스공은 존 웹스터의 희곡《아말피의 여공The Duchess of Malfi》에서처럼 인간 실존과 운명에 비유되기도 한다. "우리는 그저 별들이 가지고 노는 정구공일 뿐—별들 마음대로 치고 받아 넘기고 하는구나." 또 다른 은유에서 테니스는 다른 종류의 '가벼움'인 경박함의 상징이 된다. 다 큰 어른이 공을 가지고 놀다니! 테니스를 이런 식으로 써먹은 내력은 헨리 5세 재위기의 일화 하나와 얽혀 있다. 이 강인한 젊은 왕은 한때 셰익스피어의 천방지축 헬 왕자였다. 재위 초기의 역사 기록에 따르면 "도팽Dauphin[2]은 헨리 국왕이 그런 유희와 실없는 도락에 빠져 있다고 생각하여 그에게 테니스공을 한 통 보냈다". 이에 대해 헨리 국왕이 아쟁쿠르 전투에서 했을 법한 대답은 1536년경 (아마도 시인이자 수사 존 리드게이트에 의해) 시로 각색되었다.

> 딱딱한 테니스공을 가져왔으니
> 대리석과 쇠를 동그랗게 깎았도다.
> 나를 구원하신 예수께 맹세하노니
> 이 공으로 성벽을 무너뜨리리로다.

이 이야기는 1599년경 셰익스피어의 희곡《헨리 5세》에서 2행 연구聯句로 꽃핀다. 도팽이 보낸 꾸러미가 도착하자 헨리의 숙부 엑서터 공작이 선물을 받아든다. 국왕이 묻는다. "숙부, 무슨 보물이오?" 엑서터 공작이 대답한다. "정구공이오." 헨리가 말한다. "무슨 속셈인지 뻔하군."(이 구절은

---

1 《아말피의 여공》, 존 웹스터 지음, 이성일 옮김, 2012, 소명출판, 187쪽.

2 프랑스의 왕위 계승자.(옮긴이)

이에 못지않게 유명한—전혀 다른 상황에서 나오긴 했지만—"네놈
들 속셈이야 뻔하니 장난치고 싶은 만큼 기분대로 굴라고 한동안 놔
두겠다"라는 헬의 말에 빗댄 것이다.)

내가 방종하던 그 시절을 조롱하지만
내가 그때를 어떻게 쓰는지 모르시오?[3]

셰익스피어의 희곡 《페리클레스》에서는 더 별난 테니스
공 은유가 등장하는데, 여기서는 테니스장이 바다에 비유된
다. (연구자들은 희곡의 이 부분을 조지 윌킨스George Wilkins라는 선
술집 주인이 썼으리라 추정한다.) 페리클레스는 반죽음한 채 그
리스의 해안에 내동댕이쳐졌다가 어부 세 명에게 발견된다.
그가 말한다.

물과 바람이 넓은 정구장에서
공처럼 갖고 놀다 버린 사람을
불쌍히 여겨주길 여러분께 부탁하오.[4]

요즘 독자 중에는 이 구절을 읽고서 데이비드 포스터 월
리스의 〈토네이도 앨리에서 파생된 스포츠〉를 떠올리는 사

---

3   《셰익스피어 전집》, 윌리엄 셰익스피어 지음, 이상섭 옮김, 2016, 문학과지성사,
392쪽.
4   위의 책, 1487쪽.

람도 있을 것이다. 그 에세이는 미드웨스트 한복판에서 테니스를 배우는 이야기다. 지독한 바람이 그칠 날 없건만 월리스는 해내고 만다. 그가 말하는 한 가지 비결은 "바람과 날씨의 어떤 부당한 처우"로부터도 "기묘한 로봇 같은 초연함을 유지하"는 것이었다.

데이비드 포스터 월리스가 테니스에 대해 글을 쓴 것은 삶이 자신에게 테니스를 선사했기 때문이요—그는 주니어 시절에는 수준급 실력이었다—자신의 경험을 가차 없이 작품의 소재로 삼아 나름의 방식으로 '방종하던' 시절을 만들어낸 작가였기 때문이다. 하지만 그가 테니스를 소재로 삼을 생각을 하기 전에 테니스가 그에게 찾아왔다. 적어도 내가 보기엔 그렇다. 어떤 작가들이 일찌감치 자신이 어떤 존재인지 파악하고 자신의 삶을 일종의 '쥐락펴락할 수 있는 이야기'로 바라보기 시작하는 것은 놀라운 일이다. 테니스가 문학적 유형과 목적에 안성맞춤인 스포츠임을 월리스가 진작에 알아차렸다고 상상하는 것도 터무니없지는 않을 것이다. 테니스는 강박적이고 우울한 사람을 끌어당긴다. 테니스는 아마도 가장 고독한 경기일 것이다. 권투조차 코너가 있지만, 프로 테니스에서는 코치가 점잖은 격려 이상의 말을 건네면 규칙 위반이며 관중은 경기가 진행되는 내내 침묵을 지켜야 한다. 상대 선수는 멀찍이 있거나, 가까이 있을 때는 무심한 듯 적대적이다. 테니스와 가장 가까운 경기는 오프라인 체스인지도 모르겠다. 본질적으로 수학적인 문제를 공략하느라 몸과 마음이 하나가 되는 그런 체스 말이다. 그래서 좋은 경기는 작가뿐 아니라 철학자를 위한 것이기도 하다. 월리스에게는 퍼펙트 게임이었다.

그는 소설, 에세이, 기사, 서평에서 테니스에 대해 썼으며 테니스는 표면상 그의 가장 일관된 테마였다. 월리스는 자신의 테니스 사랑에 대해, 자신이 세상을 바라보는 태도와 테니스의 연관성에 대해 의도했든 아니든 사람들의 주목을 끌었다. 그는 테니스에 대한 현대 문헌들에도 조예가 깊었다. 당시 청년이던 마이클 조이스(촉망받는 파워 베이스라이너로, 코치가 되어 인기를 끌었으며 마리야 샤라포바가 두 차례 그랜드슬램 타이틀을 획득하는 데 한몫했다)를 다룬 1996년 〈에스콰이어〉 기사 첫머리에서 월리스는 물리학과 신체적 요소를 꼼꼼히 조명하여 글에 활력을 불어넣었는데, 이는 존 맥피의 《경기의 수준Levels of the Game》(내가 생각하기에, 여러분이 손에 들고 있는 책 못지않게 기쁨을 주는 몇 안 되는 테니스 책 중 하나) 처음 몇 행을 떠올리게 한다. "아서 애시는 발을 벌리고 무릎을 살짝 구부린 채 테니스공을 공중으로 띄워 올린다. 토스는 높이 전방으로 향한다. 저 공에 낙하가 허용된다면 애시 말마따나 '포물선을 그릴' 것이다."

내가 보기에, 테니스를 테마로 삼은 월리스의 논픽션이 주는 누적적 효과는 거울을 비추는 것과 약간 비슷하다. 그것은 겹눈처럼 생긴 거울을 공간에 설치하여 위치를 잡았을 때의 효과다. 월리스의 거울이 작가의 마음을 향해 있다

는 점만 다를 뿐. 그가 서술하는 경기는 언어와 같아서 닫힌
계를 강조하고 물신화한다("아웃!"). 그는 테니스의 규칙, 테
니스의 무정함에 환희하고 매혹된다. 테니스를 사랑하되 초
월하기를 갈망한다. 월리스의 글이 다 그렇듯 비트겐슈타인
이야말로 그의 테니스 에세이에 가장 많이 등장하는 철학
자다. 실재는 언어와 불가분의 관계이며—"내 언어의 한계는
내 세계의 한계를 의미한다"—언어는 놀이와 불가분의 관계
임을—둘 다 근본적으로는 "활동, 일종의 삶의 일환"이다—
우리에게 알려준 비트겐슈타인 말이다.

　이렇게 묘사하면 독자는 저 작가가 무미건조하고 추상
적이며 결국 테니스를 편의적이고 교묘하게 활용하여 (자신
에게 더 중요한) 딴 얘기를 할 뿐이라고 결론 내릴지도 모르겠
다. 하지만 여러분이 좀 있다 만나게 될 작가는 그런 위인이
아니다. 아니, 그는 코트 위의 감각을 산문으로 옮길 수 있는
인물이다. 바람 잘 날 없는 동네에서 자라면서 어떤 테니스
습관을 가지게 되었는지, 그 덕에 자기보다 재능 많은 상대
를 이겨 뜻밖의 결과로 그를 낙담시킬 수 있었는지 묘사하
는 구절에서 그는 자신이 "투수처럼 침을 뱉어 바람을 읽을
수 있었"다고 말한다. "나는 바람이 만나는 곳으로 커브를
때려 공을 아슬아슬하게 인에 떨어뜨렸다. 스핀을 잔뜩 먹인
나의 특제 바람 서브를 넣으면 공은 공중에서 달걀 모양이
되어 (…) 왼쪽에서 오른쪽으로 휘[었다]." 트레이시 오스틴
의 자서전을 비평하면서는, 그녀의 책에 실망했다고 말하면

서도 운동에서의 위대함과 평범함에 대해, 둘의 진짜 차이점에 대해 언급할 기회를 놓치지 않는다. 그는 자신이 선수로서 곧잘 "분열되고 마비되었"음을 떠올린다. "위대하지 않은 운동선수들은 대체로 그런다. 얼어붙은 채 숨이 막히는 것. 초점을 잃는 것. 자신을 의식하는 것. 자신의 의지와 선택과 동작에 온전히 몰두하지 못하는 것." 이에 반해 위대한 선수가 그렇게 되는 한 가지 이유는 "온전히 몰두하"지 못한다는 게 어떤 것인지 아예 모르기 때문이다. 말하자면 그들이 "눈 멀고 귀먹"는 것은 "재능의 대가"가 아니라 "재능의 본질"이요, 심지어 재능 자체다. 반면에 작가는 성찰 안에서만 존재하기에 존재를 통틀어 그러한 지고의 영역으로부터 가장 동떨어져 있다.

월리스의 테니스 에세이 중에서 가장 유명한—아마도 최상의—것은 2006년 〈타임스〉의 단명한 스포츠 잡지 〈플레이〉에 처음 발표된 〈살과 빛의 몸을 입은 페더러〉다. 자기 세대에서 가장 위대한 테니스 작가가 자기 세대에서 가장 위대한 테니스 선수에 대해 글을 썼다. 이 문장에 어떤 수식어가 필요하랴. 페더러는 훗날 한 포럼에서 질문을 받고 이렇게 대답했다. 월리스와 "ATP(프로테니스협회Association of Tennis Professionals) 사무실에서 고작 20분"만 있었는데도 그가 그토록 "포괄적인" 글을 써낸 것에 놀랐다고. 하지만 월리스가 대면 시간을 더 오래 갖고 싶었을 것 같지는 않다. 그가 윔블던에 온 것은 로저 페더러라는 인물을 만나고 싶어서가 아니라 페더러가 경기 중에 어떤 존재로 바뀌는지 보고 싶어서였으니까. 월리스가 보고 싶었던 것은 오로지 '스펙터클'로만 존재했다. 이를 비롯한 여러 측면에서 페더러 에세이를 그가 정확히 10년 전에 마이클 조이스에 대해 쓴 인물평과 비교하면 흥미로울 것이다. 나는 예전 에세이의 두텁고 섬세한 묘사를 더 좋아하는 편이지만 나중 에세이가 대단하다는 것도 인정한다. 조이스 에세이에서 월리스는 무명씨에 대해, 아무도 들어본 적 없는 사람이자 투어에서 결코 본선에 진출하지 못하는 사람에 대해 썼다. 그것이 그 에세이의 서브텍스트였으며 가끔은 텍스트 자체이기도 했다. '그토록' 훌륭하면서도 충분히 훌륭하지 않을 수 있다는 것. 그 에세이의 주제는 고뇌였다. 하지만 페더러 에세이의 주인공은 월리스에게 다른 주제를 던졌다. 그것은 '초월', 초월의 실제 모습이었다. "몇몇 물리 법칙으로부터 적어도 부분적으로는 면제받"은 것처럼 보이는 선수 말이다. 월리스가 그토록 아름답게 분석하는 포인트—"열여섯 스트로크의 포인트"는 전투 장면처럼 극적으로 읽힌다—의 주석이 무엇을 의미하는가는 분명하다. 이 장면은 페더러의 2006년 윔블던 당시 라파엘 나달과의 결승전 2세트에서 연출되었다. 베이스라인으로부터 약 1인치 안쪽에서 일종의 미친 스핀을 먹여 때려내어 공이 네트를 '미끄러져' 넘어가 사라져버리게 한, 영상을 아무리 다시 돌려봐도 도무지 이해가 안 되는 백핸드로 경기를 끝낸 포인트 말이다. 나달은 공을 건드리지도 못했다. 월리스는 우리에게 그 순간을 선사할 수 있을 뿐 아니라 그 순간을 만들어낸 전략적·기하학적 사고력과, 샷 선택으로 상대 선수를 '최면'에 빠뜨리는 페더러의 능력을 보여줄 수도 있다.

내 생각에 페더러 에세이의 핵심 문장은 '진화'를 언급하는 문단에 들어 있다. 현대 테니스 경기를 정의한 '파워 베이스라인' 스타일—강타자 두 명이 멀찍이 물러선 채 손목이 빠개져라 그라운드스트로크를 때리는 것—을 묘사하면서 월리스는 이렇게 말한다. "[파워 베이스라인 스타일은] 평론가들이 오래전부터 대놓고 우려한 테니스의 진화적 종점은 아니다. 이것이 참임을 입증한 선수가 바로 로저 페더러다." 그가 이 문장을 쓴 것은 거의 감사에 가까운 행위 아닐까. 파워 게임의 난폭한 독재를 무너뜨리고 올코트 스타일을, 예술을 되살리는 일은 천재성을 필요로 했다. 월리스가 강조하듯 페더러는 이 일을 파워 게임 '내부에서', 허리케인의 위력으로 날아오는 샷을 받아치면서 해냈다. 현대 테니스의 풍동風洞 안에서 그는, 나비를 위해 만든 것처럼 보이면서도 무지막지하게 효과적인 스타일을 만들어냈다. 진화적 종점에 이르렀다고 (언제나처럼?) 간주되는 형식으로 글을 쓰는 작가이자 이와 비슷하게 자신의 정점에서 새로운 길을 보여준 예술가인 21세기 소설가에게는 얼마나 경이로운 주제이자 인물인가.

이 글을 끝맺으면서—아니, 옆으로 비킨다고 해야 옳겠지만—월리스가 대부분의 테니스 경기를 치른 일리노이주 샘페인어배나의 지역 신문 〈뉴스 가제트〉에서 한 대목을 인용하겠다. 모든 선수는 코트 위에서 두각을 나타내고 동료들에게 인정받기 위해 얼마나 많은 것이 필요한지 안다. 코트에서는 선수들의 성격이 무자비한 엑스선에 낱낱이 까발려진다. 이를 염두에 둔다면 아래의 짧은 세 문단은 의미심장하며 월리스 자료실의 데이터베이스에 등록할 만하다.

데이비드 포스터 월리스가 2008년 자살하고 오래 지나지 않아 그의 어배나 고등학교 테니스 팀 동료 몇몇이 바로 이곳 그의 고향에서 그를 기리기로 마음먹었다.

월리스는 빼어난 테니스 선수였기에 릭 골드워서를 비롯하여 그와 함께 뛰었던 동료들은 명판을 달거나 그의 이름을 딴 테니스장을 지어 그를 기념하기에는 블레어 공원이 제격이라고 판단했다.

기념사업을 주도하는 골드워서가 말한다. "그는 테니스에 무척 열정적이었으며 그곳에서 경기에 참가하고 [두 번의 여름] 테니스 강습을 진행했습니다."

존 제러마이아 설리번 John Jeremiah Sullivan은 1974년 미국 켄터키주 루이빌에서 태어났다. 〈뉴욕 타임스 매거진〉 전속 필자이자 〈파리 리뷰〉 미국 남부 편집자이며 두 차례의 전미 잡지상, 화이팅상, 푸시카트상, 윈덤-캠벨 문학상을 받았다. 《혈통마Blood Horses》(2004), 《펄프헤드Pulphead》(2011), 《낙원의 총리Prime Minister of Paradise》(2017)를 썼으며 《미국 에세이 걸작선 2014The Best American Essays 2014》를 엮었다. 노스캐롤라이나에서 아내와 딸들과 함께 산다.

토네이도 앨리에서 파생된 스포츠

Derivative Sport in Tornado Alley

일리노이 농장 지대에 둘러싸인 도시를 떠나 매사추세츠 서부에 야하게 비죽 튀어나온 버크셔스의 우리 아버지 모교에 입학한 순간 난데없이 수학에 꽂혔다. 왜 그랬는지 지금부터 따져볼 참이다. 대학 수학은 미드웨스트 출신의 한 학생에게서 향수를 불러일으키고 분출시킨다. 나는 벡터, 직선, 교선, 격자 안에서, 또한 그 선들을 거대하게 확대한 수평선, 지리적 힘의 넓은 곡선, 지각 위에 얹혀 회전하며 온통 얼음으로 다림질된 괴상한 지형학적 배수구의 나선형 위에서 자랐다. 땅과 하늘의 솔기를 이루는 이 거대한 곡선 뒤쪽과 아래쪽의 면적을, 나는 무한소를 편안하게 느끼고 적분을 도식으로 이해하기 오래전부터 눈으로 작도할 수 있었다. 동부 산간 지대의 학교에서 수학을 배우는 것은 잠에서 깨는 것 같아서 기억을 해체하여 거기에 빛을 비추었다. 미적분은 말 그대로 애들 장난이었다.

질소 비료를 하도 줘서 더는 농사지을 수 없게 된 농지를 깎아 만든 작은 공원의 아스팔트 코트에서 나는 유년기 끝자락에 테니스를 배웠다. 테니스장은 내 고향 일리노이주 파일로에 있었다. 옥수수 저장탑과 2차 세계대전 이후 지어진 레빗타운Levittown[1] 주택이 들어선 소규모 단지에서 토박이들이 하는 일이라고는 수확 보험과 질소 비료와 농약을 팔고 인근 샘페인어배나 대학의 젊은 학자들에게서 재산세를 거두는 게 고작이었다. 대학은 1960년대 반짝 호황기에 규모가 부쩍 커져서 '농장과 침실의 공동체' 같은 터무니없는 발상을 현실로 만들었다.

열두 살에서 열다섯 살 사이에 나는 위대함에 근접한 주니어 테니스 선수였다. 샘페인 앤드 어배나 컨트리클럽 주니어 경기에서는 경쟁 본능을 발휘하여 변호사와 치과 의사 자제들을 물리쳤으며 이내 여름내 새벽녘까지 차를 타고서 일리노이, 인디애나, 아이오와 전역의 토너먼트를 순회했다. 열네 살에는 미국테니스연맹United States Tennis Association, U.S.T.A 서부 지구('서부'란 U.S.T.A에서 미드웨스트를 일컫는 구닥다리 표현으로, 더 서쪽에는 남서부, 북서부, 태평양 북서부 지구가 있었다)에서 17위에 올랐다. 내가 테니스에서 잠시나마 두각을 나타낸

---

[1]   완벽한 사전 계획으로 건설된 대규모 주택 단지.(옮긴이)

것은 운동 재능보다는 내가 테니스를 배우고 훈련한 동네와, 또한 직관적 수학에 대한 기묘한 성향과 훨씬 관계가 깊었다. 나는 누구에게나 순수한 잠재력의 싹이 있다는 주니어 대회 기준에 견주어도 퍽이나 재능 없는 선수였다. 눈과 손의 협응은 괜찮았지만 덩치가 크지도 동작이 빠르지도 않았으며 오목가슴이다시피 한 데다 손목이 하도 가늘어서 엄지손가락과 새끼손가락으로 쥘 수 있을 정도였다. 또래 여자애들에 비해서도 공이 빠르지도 정확하지도 않았다. 내가 할 수 있는 것이라고는 "코트 전체를 플레이하"는 것뿐이었다. 이것은 테니스계의 진부한 격언 중 하나로, 귀에 걸면 귀걸이 코에 걸면 코걸이였다. 내 경우에 적용하자면, 나는 나의 한계와 내가 발 디디고 선 곳의 한계를 알았으며 거기에 적응했다. 나는 악조건에서 최고의 실력을 발휘했다.

아닌 게 아니라 센트럴일리노이의 조건은 수학적 관점에서는 흥미롭고 테니스적 관점에서는 열악하다. 여름은 열기와 젖은 장갑 같은 습기를 내뿜고, 기이할 정도로 기름진 토양은 풀과 넓은잎을 테니스장 표면 위로 온 힘 다해 밀어 올리고, 깔따구는 땀을 빨아 먹고 모기는 밭의 고랑과 밭 둘레의 녹조투성이 도랑에 알을 낳고, 나트륨등에 이끌린 나방과 똥깔따구가 키 큰 조명등마다 주위에 작은 행성을 이루고 온통 불 밝힌 테니스장 곳곳에 작은 그림자를 펄럭거리기 때문에 야간 테니스 경기는 불가능에 가까웠다.

하지만 악조건의 가장 큰 원인은 바람이다. 바람이야말

로 센트럴일리노이 야외 생활의 질을 좌우하는 최대의 단일 요인이다. 휘어버린 풍향계와 기우뚱한 헛간을 소재로 삼은 이곳 농담은 일일이 기억할 수 없을 정도이고 온갖 바람을 일컫는 남부 지역의 별칭은 눈을 일컫는 이누이트족의 별칭보다 많다. 바람에게는 성격이 있었고 (고약한) 기질이 있었고 필시 의도가 있었다. 바람이 낙엽을 어찌나 규칙적으로 욱여넣어 선과 호를 만들었던지 사진을 찍어서 크라메르 공식Cramer's Rule[2]과 3차원 공간에서 곡선의 외적을 구하는 방법의 예로 교과서에 실어도 좋겠다 싶을 정도였다. 바람이 겨울 눈을 뭉쳐 만든 곤봉은 시야를 가리고 옴짝달싹 못하는 차량을 파묻었으며, 시민들은 진입로뿐 아니라 집 주변의 눈까지 치워야 했다. 센트럴일리노이 '눈보라'는 눈이 그치고 바람이 일 때 비로소 시작된다. 파일로 사람들은 대부분 머리를 빗지 않았는데, 빗어봐야 소용이 없었기 때문이다. 여자들이 걸핏하면 미용실 갔다 와서 머리를 비닐 깃발로 꽁꽁 싸매는 것을 보고는 진짜 세련된 헤어스타일이 등장했나 생각하기도 했다. 이스트코스트 여자애가 바깥에서 머리카락을 늘어뜨리고 찰랑거리는 것은 내 눈에 음탕하고 벌거벗은 것처럼 보였다. 바람에 얽힌 이야기는 끝이 없다.

내가 아는 외지 사람들은 미드웨스트 하면 허허벌판, 시

---

2   선형 및 다중선형 대수학에서 행렬식을 이용하여 연립선형방정식계의 해를 구하는 방법.(옮긴이)

커먼 땅과 초록 양치식물이나 다섯 시 그루터기³의 들판, 지형학을 가학적 이차함수 작도로 둔갑시키는 완만한 융기와 내리막, 하도 똑같고 칙칙해서 운전자를 미치게 하는 고속도로 풍경을 떠올린다. 인디애나·위스콘신·노던일리노이 출신들은 자기네 미드웨스트를 농업경제학으로, 선물先物로, 옥수수 수꽃 따기로, 콩밭 매기로, 종자 회사 모자로, 사과빛 뺨의 북유럽풍 여인으로, 사과주로, 도축으로, 헬멧에서 내뿜은 숨이 뭉쳐 흰 무봉霧峰을 이루는 축구 경기로 생각한다. 하지만 샘페인어배나, 랜툴, 파일로, 머호밋시모어, 매툰, 파머시티, 톨로노로 이루어진 유별난 중앙부에서 미드웨스트의 삶을 일구고 일그러뜨리는 것은 바람이다. 날씨에 예민한 우리 도시는 갈색 트위드 양복을 입은 기상학자가 '열적변칙Thermal Anomaly'이라고 부른 (것을 내가 들은 적이 있는) 동부 상류 지대에 있다. 오대호 남쪽으로 순환하며 불어오는 상쾌한 바람, 아칸소와 켄터키의 인종 결합miscegenating에서 생긴 질척질척한 무언가, 거기다 서쪽으로 세 시간 거리에 있는 미시시피강 유역에서 불어오는 야릇한 산들바람이 이곳에서 묘하게 어우러진다. 시카고가 바람의 도시Windy City를 자처하지만, 하나의 거대한 바람막이인 시카고는 진정 종교적인 유형의 바람을 겪어본 적이 없다. 기상학자들은 파일로 사람들

---

3 본디 오전에 면도해도 오후 다섯 시쯤 되면 거뭇거뭇하게 수염이 난 상태를 일컫는다.(옮긴이)

앞에서는 명함도 못 내민다. 파일로 사람들은 서쪽으로 우리와 로키 산맥 사이에 높다란 것이 기본적으로 하나도 없다는 사실이야말로, 그 기묘한 산들바람과 동요가 미풍과 돌풍과 열풍과 하강 기류와 네브래스카와 캔자스를 넘어온 온갖 것에 합류하여 강으로 흘러드는 개울처럼, 산사태처럼 뭉쳐 (개척자들이 소 떼를 몰고 간 길을 거슬러) 포효하는 제트기(류)와 전선처럼 동쪽으로 우리의 무방비 상태 엉덩이를 향해 이동했다는 사실이야말로 사태의 시발점임을 정확히 안다. 최악의 바람은 고등학교 남학생들의 테니스 시즌인 봄에 찾아왔다. 네트는 뻐기는 깃발처럼 뻣뻣하게 불쑥 불거졌고 바람에 휩쓸린 공은 동쪽 끝 철망까지 날아가 여러 코트의 경기를 방해했다. 바람이 지독할 때는 몇 명이 밧줄을 가져와서는 우리의 단식 다섯 번째 출전 선수이자 해골 유령처럼 마른 롭 로드에게 너 날아가지 않도록 묶어놔야겠다고 말할 정도였다. 가을은 지독하기로는 봄의 반절이었는데, 낮고 꾸준한 굉음과 낙엽 대륙이 힘 곡선을 따라 딱딱거리며 정렬되는 거대한 소음을 토해냈다. 이렇게 우렁찬 딱딱 소리를 비슷하게나마 들어본 적이라고는 열아홉 살 때 뉴브런즈윅 펀디만에서 난생 처음으로 부서지는 파도 위에서 서프보드를 타다가 매끈매끈한 자갈 해안에 내동댕이쳐졌을 때뿐이다. 여름은 조증적이고 거칠다가 8월 즈음이면 쥐 죽은 듯 고요해졌다. 바람은 8월 어느 날 불쑥 잦아들었는데, 전혀 위로가 되지 않았다. 바람이 멈추니 오히려 미칠 노릇이었다. 해마다 8월이면 바람 소리가 파일로 사람들의 삶에서 얼마나 중요한 사운드트랙이었는지 실감했다. 바람 소리는 이제 정적이 되었다. 바람이 떠나가면 내게 남는 것은 머릿속에서 찍찍거리는 피돌기 소리와 저 작은 고막 돌기들이 주정뱅이 손 떨듯 청각적으로 흔들리는 소리뿐이었다. 매사추세츠 서부로 이사하고 몇 달이 지난 뒤에야 나는 뉴잉글랜드 바람의 앵앵거리는 속삭임을 들으면서도 곤히 잠들 수 있었다.

평균적 외부인이 보기에 센트럴일리노이는 스포츠에 이상적인 곳처럼 보인다. 공중에서 내려다본 대지는 보드게임을 방불케 한다. 반듯한 정사각형의 암갈색이나 카키색 경작지는 모두 곧게 뻗은 타르 도로에 잘리고 나뉘었다(모든 농지에서 도로는 여전히 통행로보다는 방해물에 가까워 보인다). 겨울철 지형은 언제나 매닝턴 욕실 타일을 닮아 있었는데, 맨땅에 눈이 쌓인 곳은 흰색 네모, 나무와 덤불이 바람에 마구 흔들리는 곳은 검은색 네모다. 들판에서 보면 내 눈에는 언제나 모노폴리나 인생 게임, 아니면 실험실 쥐 미로 같다. 2차원으로만 보자면 사료용 옥수수나 콩을 재배하는 가지런한 밭, 앨리스 차머스Allis Chalmers[4]와 육분의로 갈랐을 것만 같은 일직선 고랑이 파인 밭은, 단거리 달리기 트랙이나 올림픽 수영장처럼 레인을 나누고 정식 미식축구장처럼 해시

---

4 미국의 트랙터 제조 회사.(옮긴이)

마크hashmark[5]를 긋고 정식 테니스장처럼 앵글과 앨리alley[6]를 잔뜩 그려놓은 것처럼 보인다. 미드웨스트의 우리 동네는 늘 특별히 정돈한 것처럼, 마치 계획한 것처럼 보인다.

지형의 강점은 곧 약점이기도 하다. 땅이 하도 평평해서 클럽과 공원을 설계할 때는 테니스장에 아스팔트를 깔기 전 다지기 공정을 곧잘 생략한다. 이 때문에 대체로 코트에 살짝—여기서 오랜 시간을 보낸 사람만 알아차릴 수 있을 정도로—경사가 졌다. 테니스장은 선수가 햇빛에 눈 부시지 않도록 늘 남북 방향으로 짓기 때문에, 또한 센트럴일리노이의 땅은 인디애나와 (주州 동쪽 어딘가의 수원 쪽으로 강줄기를 두 배로 돌려보내는) 섬세한 지질학적 융기를 향해 동쪽으로 이동하면서 매우 완만하게 상승하기 때문에, 오른손잡이가 북쪽을 바라보고 있으면 코트의 포핸드 절반은 늘 백핸드 지역에서 체력적으로 오르막처럼 느껴진다(오하이오 경계선 바로 너머 인디애나주 리치먼드에서 토너먼트에 참가했을 때는 기울기가 반대였다). 이곳의 흙은 부식질이 풍부하여 농민들에게 농사 좀 그만 지으라고—농산물 시장이 넘쳐나지 않도록—돈을 줘야 하는 형편이지만, 클레이 코트는 독말풀과 엉겅퀴와 개똥옥수수 천지가 되고 아스팔트 코트는 한 치 높이의 실란트와 자갈 덮개에도 굴하지 않는 개척종pioneer-stock 씨앗에

---

5   1야드를 표시한 선.(옮긴이)

6   단식 코트와 복식 코트의 사이드라인 사이에 있는 가늘고 긴 구역.(옮긴이)

서 자란 넓은잎 잡초의 상승 압력으로 쩍쩍 갈라진다. 그렇기에 일리노이에서 가장 부유한 지역에서 가장 공들여 관리하는 코트를 제외하면 모든 테니스장이 농촌 풍경의 축소판으로 바뀌어버려 풀밭과 균열과 (지하수 누수로 인한) 웅덩이 곁에서 경기를 해야 한다. 코트의 균열은 늘 서비스박스service box[7] 측면에서 출발하여 구불구불 헤매다 서비스라인service line[8] 쪽으로 돌아간다. 틈새에 풀이 돋은 검은색 균열은—특히, 페어 구역을 표시하는 선 바깥 공간의 검붉은색과 대비되는 숲의 초록을 배경으로—일리노이의 빽빽한 강줄기를 뒤쪽 높은 곳에서 본 것과 같은 으스스한 풍경을 코트에 선사한다.

세로 23.77미터, 가로 8.23미터의 테니스장을 위에서 내려다보면 복식 앨리의 가느다란 직사각형이 옆구리에 길게 펼쳐져 있는 것이 마치 골판지 상자를 펼친 듯하다. 네트는 기둥 쪽 높이가 1.07미터로 코트를 가로로 양분하며 서비스라인은 각 절반을 백코트와 포어코트로 다시 나눈다. 두 포어코트에서는 네트 중앙 밑바닥에서 서비스라인까지 이어진 선이 이곳을 가로 6.4미터, 세로 4.12미터의 서비스박스로 나눈다. 날카롭도록 정확한 구분과 경계에다 공이 직선으로만 이동할 수 있다는 사실이 어우러져—바람과, 여러분의 괴상

---

7 테니스에서 서브를 할 때 공을 쳐 넣는 직사각형의 구획. 네트의 양쪽에 있으며 좌우로 나뉜다.(옮긴이)

8 서비스박스의 네트에 평행하는 선.(옮긴이)

한 스핀을 제외하면—교과서적 테니스는 평면 기하학 문제
가 된다. 테니스는 가만있지 않는 공을 가지고 하는 당구요
생각할 시간이 없는 체스다. 미식축구를 보병과 소모전에 비
유한다면 테니스는 포병과 공습에 비유할 수 있으리라.

　　테니스와 관련하여 내게는, 대단치 않은 실력을 보완하
는 초자연적 재능이 두 가지 있었다. 아니, 셋이라고 해야 하
려나. 첫 번째는 늘 땀을 하도 흘려서 어떤 날씨에서도 열 배
출이 원활했다는 것이다. 다한多汗은 양가적 축복이었다. 고
등학교 시절 사교 생활에 보탬이 되지는 않았지만, 터키탕
같은 7월 어느 날 몇 시간이고 테니스를 칠 수 있었으며 경
기 사이사이에 물을 마시고 염분을 보충하는 한 조금도 처
지지 않았으니까. 나는 언제나 네 게임째 즈음 되면 물에 빠
진 생쥐 꼴이었으나 쥐가 나거나 토하거나 졸도하지는 않았
다. 반면에 피오리아의 말쑥한 녀석들은 가르마조차 한 번
흐트러지지 않다가 갑자기 눈을 치뜬 채 이글거리는 콘크리
트에 고꾸라졌다. 이보다 큰 자산은 내가 직선 안에 있을 때
더없이 편안했다는 것이다. 재능 있는 주니어 선수들 중에도
몇몇은 시간이 조금 지나면 기이한 기하학적 폐소공포증 때
문에 겁에 질린 동물원 동물 신세가 되지만 나는 한 번도 그
런 적이 없었다. 뾰족한 각, 날렵한 이등분, 깎아낸 모서리는
내 몸에 꼭 들어맞는 느낌이었다. 여기에는 환경적 요인이 작
용했다. 일리노이주 파일로는 뻐딱한 격자로, 남북 방향 가
로街路 아홉 곳이 남서-북동 방향 가로 여섯 곳과 교차하며

비스듬한 열십자 모양의 근사한 모퉁이가 쉰한 곳 있는데—
동서 교차각의 탄젠트를 시컨트 계수로 적분할 수 있었다!—
한가운데 세거리의 마을회관에 있는 물탱크의 노즐은 북서
쪽으로 어배나를 가리켰으며 살레르노 상륙 작전에서 전사
한 토박이 아들의 청동상은 손으로 정북을 가리켰다. 늦은
아침이면 살레르노 청년의 동상은 퍼팅해도 될 만큼 빽빽한
풀밭에 땅딸막한 검은색 팔 그림자를 드리웠으며 저녁이면
태양이 그의 왼쪽 윤곽을 달궈 비난하는 기색의 팔 그림자
를 연못에 담근 막대기의 각도로 구부려 오른쪽으로 드리웠
다. 대학에서 퀴즈를 풀다가 동상의 손이 가리키는 방향과
그림자가 회전하여 만드는 호의 미분이 일차함수라는 생각
이 문득 들었다. 어쨌든 어린 시절의 기억은 대부분—고랑으
로 둘러싸인 면적에 대해서든, RR104W를 따라 보초를 서는
수확꾼에 대해서든, 재향군인회관 소프트볼 구장의 어스름
을 배경으로 한 뾰족한 그림자들의 유희에 대해서든—자와
각도기를 가지고 얼마든지 재구성할 수 있다.

　나는 함께 자란 친구들에 비해 직선의 예리한 교차를
남달리 좋아했다. 이것은 그들이 토박이였던 반면에 나는 우
리 아버지가 박사 학위를 받은 이시카에서 유아기에 이곳으
로 이주했기 때문인 것 같다. 그래서, 갓난아기였기에 밋밋
하고 준※의식적이기는 했지만 나는 무언가 다른 것을, 뉴욕
북부의 높은 언덕과 구불구불한 일방통행로를 알고 있었다.
대뇌변연계 어딘가에 곡선과 융기의 무정형 곤죽을 대조적

역광으로 간직하고 있었음을 나는 꽤 확신한다. 내가 더불어 싸우고 뛰어논 파일로 아이들, 그 밖의 것은 그때에도 그전에도 아무것도 몰랐던 그 녀석들은 우리 도시의 평면 배치에서 대조적이거나 신세계적인 것을 아무것도 보지 못했으며 뾰족뾰족한 것을 조금도 높이 치지 않았기 때문이다. (그 친구들 중 상당수가 군에 입대하여 각 잡은 제복 차림으로 우향우를 했다는 사실이 의미심장하기는 하지만.)

당신이 무지막지한 힘을 자유자재로 다루는 희귀 돌연변이 달인이 아니라면 내기 당구에서처럼 경기 테니스에도 기하학적 사고, 즉 자신의 각도뿐 아니라 자신의 각도에 반응하는 각도까지도 계산할 수 있는 능력이 필요함을 알게 될 것이다. 반응 가능성은 이차二次로 증가하기 때문에, n샷 앞서 생각해야 한다. 이때 n은 쌍곡선 함수이며 이를 제약하는 것은 (대략적으로) 상대 선수가 가진 재능의 쌍곡선 사인과 지금까지 랠리에서 주고받은 샷 회수의 쌍곡선 코사인이다. 나는 이 일에 능했다. 내가 한동안 위대함에 근접할 수 있었던 또 한 가지 비결은 바람의 미분 효과를 계산에 넣을 수 있었다는 것이다. 나는 8진법으로 생각하고 경기할 수 있었다. 바람은 선을 구부려 경기를 3차원 공간으로 탈바꿈시켰다. 바람은 센트럴일리노이의 주니어 선수들에게 어마어마한 피해를 입혔다. 특히 리튬[9]이 절실히 필요한 4월부터 7월

---

9   조울증 치료제.(옮긴이)

까지는 패턴 없이 몰아치고 소용돌이치고 방향을 뒤바꾸고 사그라들었다 솟아오르고 이따금 코트 높이에서 한 방향으로 불다 머리 위 3미터 높이에서 딴 방향으로 불었다. 생각에 정확성을 기하려면 퍼센티지, 추진력, 되치는 각도에 추세를 산입해야 했다. 내 동료와 다른 도시에서 자원한 코치들은 분필과 칠판으로 이 정확성을 추상화하는 솜씨가 뛰어났다. 그들은 연습 때 학생의 다리를 빨랫줄로 담장에 묶어 움직임을 제한했고 구석구석에 놓아둔 빨래 바구니에 공을 넣는 연습을 시켰으며 마스킹 테이프를 가져다 반복 연습 및 단거리 달리기용으로 코트의 선 안에 또 다른 선들을 그었다. 하지만 이 모든 이론적 준비 작업은 토너먼트가 시작되어 운동화를 신고 실제 코트를 디디는 순간 무위로 돌아갔다. 가장 꼼꼼히 계획하여 가장 잘 친 공이 툭하면 경기장을 벗어난다는 게 근본적인, 아름답지 못한 문제였다. 몇몇 친구들은 이 모든 변덕과 부당함에 미쳐버릴 지경이었다. 바람이 심한 날이면 이 녀석들은—대개 끝내주는 재능의 소유자들이었는데—세 번째 게임 즈음에 처음으로 분을 못 이겨 라켓을 내동댕이치며 짜증을 부리다 첫 세트가 끝났을 때는 일종의 시무룩한 코마 상태에 들어가서는 바람, 네트, 테이프, 태양에 된통 당하겠거니 하고 지레 움츠러들었다. 나로 말할 것 같으면—연습 때 하도 게을러터져서 '민달팽이'라는 애정 어린 별명으로 불렸는데—내가 계획할 수 없는 바람과 날씨의 어떤 부당한 처우로부터도 기묘한 로봇 같은 초연함을 유지하는 것을 가장 큰 테니스 자산으로 삼았다. 열두 살 에서 열다섯 살 사이에 나보다 크고 빠르고 민첩하고 명코 치를 둔 상대 선수들을 맞아, 단지 조현병적 광풍이 부는 코 트 한가운데로 어수룩하게 공을 때려 상대방으로 하여금 더 박력 있고 화려하게 경기하도록 유도하면서, 라인 가장자리 를 겨냥한 그의 야심찬 공이 바람 때문에 곡선을 그리거나 미끄러져 초록색 코트와 흰색 줄 바깥의 시뻘건 영토에 떨 어지게 하여 내게 또 한 점의 민망한 포인트를 안겨주도록 함으로써 얼마나 많은 토너먼트 시합을 승리했는지는 말로 표현할 수 없다. 보기에 멋지거나 재미있는 경기는 아니었다. 심지어 일리노이 바람을 업고도 전 경기를 이런 식으로 이 길 수는 없었다. 상대 선수가 끝끝내 가벼운 신경 쇠약조차 겪지 않는다면, 활력과 화려함 대신 신중한 자동 반응의 손 을 들어주는 촌구석 코트와 썩을 놈의 바람 때문에 얄팍한 가슴의 비겁쟁이에게 패배하고 마는 명백한 불의에 굴복하 지 않는다면 말이다. 나는 인기 없는 선수였는데, 그럴 만했 다. 하지만 내가 박력과 상상력을 발휘하지 않았다는 말은 사실이 아니다. 수용은 그 나름의 박력이며, 선수가 바람을 좋아하려면 상상력이 필요한데 나는 바람을 좋아했다. 적어 도 바람에게 그 자리에 있을 기본적 권리가 있다고 느꼈으 며 바람에게서 모종의 흥미를 느꼈다. 나는 남서쪽에서 동쪽 으로 비틀비틀 소용돌이치는 시속 25~50킬로미터의 산들바 람이 내 백핸드 코너에 내리꽂히는 조 완벽한털Joe Perfecthair의 톱스핀 드라이브를 얼마나 야심차게 받아 칠지에 대한 나의 정확한 계산에 덧붙일 치명적 효과를 얻기 위해서라면 행동 반경을 기꺼이 확장할 용의가 있었다.

곰보 코트, 병적인 습기, 바람이 어우러진 일리노이의 조건은 코트 위의 실제 상황을 거의 선승처럼 받아들이는 태도를 요구하고 치하했다. 나는 많이도 이겼다. 열두 살에는 파일로와 샘페인과 댄빌 너머의 토너먼트 진출권을 따내기 시작했다. 나는 우리 부모나 (어배나 출신 캐나다 역사학 교수의 아들) 길 안티토이 부모가 운전하는 차를 타고서, (A. E. 스텔리 식품 가공 회사가 건설하고 소유한 타운으로, 썩어가는 옥수수 냄새가 어찌나 속속들이 배어 있던지 아이들이 입과 코에 반다나를 쓰고 경기해야 했던) 디케이터에서 열린 센트럴일리노이 오픈이나 노멀의 일리노이 주립대학교에서 열린 웨스턴 지역 한정 예선, 장난 아닌 옥수수 도시 게일즈버그의 서쪽 강가에서 열린 맥도널드 주니어 오픈, 보험 중심지이자 캐터필러 트랙터의 고장 피킨에서 열린 프레리 스테이트 오픈, 스카스데일의 창백한 피오리아 버전인 치치 회원제 클럽에서 열린 미드웨스트 주니어 클레이 코트 같은 대회에 출전했다.

이후 네 번의 여름 동안 정상적이거나 건전한 것을 훌쩍 넘어선 우리 주州의 모습을 보았다. 대부분은 창밖으로 스쳐 지나가는 농작물의 흐릿한 풍경이었지만. 꾸벅꾸벅 졸다 들판과 하늘 사이 주름 위로 불쑥 올라와 지독하게 작열하는 해돋이를 보았고—여담으로 내가 가려는 도시를 그곳이 어디이건 지구의 곡선 위로 올라오는 바로 그 순간 볼 수 있었으며, 대학 때 읽은 프루스트에서 유일하게 인상적인 곳은 아이가 콩브레의 머나먼 교회 첨탑과의 기하학적 관계를 묘사하는 앞부분이었다—스테이션왜건 뒷자리에 앉아 토요일 여명과 일요일 낙조를 통과했다. 나는 꾸준히 나아졌고, 안티토이는 이른 사춘기라는 부당한 특혜를 받아 급격히 나아졌다.

열네 살이 되었을 때 길 안티토이와 나는 센트럴일리노이에서 또래 중 으뜸이었다. 지역 토너먼트에서는 으레 1번과 2번 시드를 배정받았으며 미시간주 그로스포인트 대표팀과 더불어 서부 지역 랭킹을 지배한 시카고 교외 녀석들만 빼면 누구에게도 지지 않았다. 그해 여름 미국 최고의 열네 살은 브루스 브레시아라는 시카고 녀석이었지만—헐렁한 흰색 테니스 모자, 뒤꿈치에 털공이 달린 발목 양말, 야한 파스텔톤 스웨터 베스트sweater vest[10]를 애호한다는 사실은 몇 년 뒤에야 알아차렸다—브레시아와 그의 똘마니 오하이오주 제인즈빌의 마크 미스는 벤투라의 퍼시픽 하드코트와 주니어 윔블던 등등을 돌아다니느라 바빠서 미드웨스턴 클레이 대회와 쿡카운티의 몇몇 실내 대회에 굳이 참가하려는 생각은 조금도 없었다. 브레시아와는 1977년 로즈먼트호라이즌에서 열린 실내 대회 준준결승에서 딱 한 번 맞붙었는데, 결과

---

10   허리선보다 약간 길게 입는 편물로 짠 조끼.(옮긴이)

는 아름답지 못했다. 안티토이는 어느 해 전국 예선에서 미스에게 한 세트를 따내기도 했다. 브레시아와 미스 둘 다 결코 프로로 전향하지 않았고 열여덟 살 이후로 그들에게 무슨 일이 일어났는지는 모른다.

안티토이와 나는 경쟁 분야가 정확히 겹쳤다. 그는 나의 친구이자 적이자 파멸의 씨앗이었다. 내가 2년 먼저 테니스를 시작했지만 열세 살쯤 되자 그가 덩치도 더 크고 동작도 더 빠르고 기본적으로 나보다 나았다. 머지않아 토너먼트를 치르는 족족 결승에서 그에게 패배하기 시작했다. 우리는 외모와 스타일과 성격이 딴판이어서 74년부터 77년까지 줄곧 전설적 라이벌이었다. 나는 통계, 지면, 태양, 돌풍, 일종의 스토아적 활력을 활용하는 일에 통달한 몸 천재요 바람과 열기의 치유자로 통했으며 화려한 스핀을 먹인 문볼moonball[11]로 언제까지나 랠리를 이어갈 수 있었다. 반면에 애초부터 단순 무식했던 안티토이는 둥근 물체가 자신의 반경 안에 들어오기만 하면 늘 백코트 구석을 노려 개 패듯 두들겨 팼다. 그는 강타자Slugger였고 나는 민달팽이Slug였다. 그는 '켜져' 있을 때면, 즉 그날 일진이 좋았으면 나를 코트에 발라버렸다. 최상의 컨디션이 아닐 때는—또한 나와 블루밍턴의 데이비드 사보, 댄빌의 커크 리하겐과 스티브 캐실이 식단, 수면,

---

[11] 톱스핀을 잔뜩 넣은 높은 커브볼 같은 공으로, 코트 깊숙이 떨어지면서 어깨 혹은 키보다 높이 바운스되는 것.(옮긴이)

연애, 운전, 심지어 양말 색깔 등의 변수를 그날그날 안티토이의 기분과 실력 방정식에 어떻게 산입해야 할지 알아내려고 명상과 세미나를 하며 보낸 수많은 시간 동안—그와 나는 명승부를 펼쳤으며 바람을 이용하여 경기를 질질 끄는 진짜 개자식real marathon wind-sucker의 진면목을 보여주었다. 1974년에 우리가 치른 열한 번의 결승 중에서 나는 두 번을 이겼다.

미드웨스트 주니어 테니스는 내가 참되고 성숙한 슬픔에 입문한 계기이기도 했다. 나는 무위의 도를 실천하는 능력에 일종의 '자만심'을 키워갔다. 바람은 나의 개인 종교가 되었다. 심지어 자전거 타는 것도 좋았다. 파일로에서 자전거를 타는 사람은 끔찍하게 적었지만—바람 때문에 그럴 수밖에 에—나는 뻣뻣한 기류를 이용한 일종의 태킹tacking[12]을 터득했다. 큼지막한 책을 추진 방향과 약 120도로 옆구리에 붙이면—베인과 퓨의 《공학자의 미술The Art of the Engineer》과 카이로의 《손의 말Language of the Hand》이 돛으로 제격이었다—상상력과 박력과 스토아적 활력을 발휘하여 세찬 맞바람을 그저 피하는 것이 아니라 자전거 타기에 써먹을 수 있었다. 마찬가지로, 열세 살이 되었을 때는 거센 여름 바람을 단지 받아들이는 게 아니라 경기에 '동원'하는 법을 알아냈다. 더는 착오와 방향 전환의 여지를 감수하고서 무턱대고 코트 한가운

---

[12] 돛을 좌현에서 우현, 또는 그 반대로 이동하여 바람이 불어오는 쪽으로 범선을 돌리는 일.(옮긴이)

데를 노려 공을 띄우지 않았다. 이젠 투수처럼 침을 뱉어 바람을 읽을 수 있었다. 나는 바람과 바람이 만나는 곳으로 커브를 때려 아슬아슬하게 인에 떨어뜨렸다. 스핀을 잔뜩 먹인 나의 특제 바람 서브를 넣으면 공은 공중에서 달걀 모양이 되어 영리한 슬라이더처럼 왼쪽에서 오른쪽으로 휘었다가 땅에 튀기고는 방향을 정반대로 바꿨다. 나는 바람이 공을 어떻게 요리할지에 대해 트럭 운전사가 변속할 때와 똑같은 종류의 무의식적 감각을 익혔다. 나는 주니어 테니스 선수로서 한동안 내가 딴 녀석들과 다른 방식으로 구체적인 물리의 세계에 속해 있다고 느꼈다. 배신감을 느낀 것은 열네 살 즈음이었다. 단순 무식한 데다 팔만 냅다 휘두르던 이 남자애들 대다수가 갑자기 남자다워지고 키가 자라고 허벅지에 난데없이 털이 수북해지고 입술 주위에 수염이 나고 팔뚝에 밧줄만 한 핏줄이 불거진 것이다. 나의 열다섯 번째 여름, 지난해까지만 해도 내 밥이던 녀석들이 순식간에 압도적으로 강해졌다. 나는 1977년 피킨과 스프링필드에서 열린 두 번의 준결승에서 패했다(둘 다 1976년 결승에서 내가 안티토이를 물리친 대회였다). 스프링필드에서 쿼드시티스Quad Cities[13] 출신의 웬 듣보잡 녀석에게 지고 난 뒤에 아버지는 나를 위로하겠답시고 마치 어린애와 어른이 싸우는 것 같았다고 논평함으로써 나를 두 번 죽였다. 나머지 아이들도 내게서 뭔가를,

---

13 일리노이와 아이오와에 있는 카운티 네 곳을 일컫는 말.(옮긴이)

내가 기후와 맺고 있던 기묘한 데탕트가 무너지는 낌새를 챘다. 외부에 순응하고 적응하는 나의 능력은 이해되지 않는 내부의 자명종 고장으로 손상되었다.

내가 이 이야기를 하는 이유는 무엇보다 나의 미드웨스트 시절 집단적 정신 에너지를 뒷받침한 것이 생장과 생식이었기 때문이다. 우리 도시는 종자, 확산, 높이, 산출에 대한 과세 기준에 의존하는 뚜렷한 농업경제학적 관점을 취하고 있었다. 어른들의 강박적인 무게 달기와 치수 재기와 산출 예측하기와 관련된 무언가가, 밀어내기와 생장의 이 특수한 산술이, 우리 어린아이들의 캡 쓰고 반다나 쓴 작은 머리통 안에 새어 들었다가 들판으로, 다이아몬드[14]로, 우리의 특별한 관심사인 코트로 흘러 나왔다. 1977년이 되자, 운동하는 패거리 중에서 동정을 간직한 것은 나뿐이었다. (이것은 객관적 사실이다. 내가 어떻게 알았는지 여러분에게 알려주지 않는 것은 다만 이 친구들이 이제 교사, 상품 중개인, 보험 판매인이 되어 잃을 게 많은 처지이기 때문이다.) 나는 만성晩成 또 만성하면서 나 자신의 반항적이고 밋밋한 작은 신체뿐 아니라 내가 공모자로 여기던 온갖 외부 조건으로부터도 소외감을 느꼈다. 나는 키와 털의 부름이 바깥에서 왔음을, 몬산토와 다우를 논외로 하고서 옥수수를 자라게 하고 돼지를 발정 나게 하고 매년 봄마다 바람을 누그러뜨리고 우리와 샴페인 사이의 북

---

14 야구장.(옮긴이)

쪽에 있는 콩밭에서 풍기는 거름 냄새를 머금게 하는 그 모든 것에서 왔음을, 영문은 몰라도 알았다. 내 소명은 사그라들었다. 부름받지 못한 자의 심정이 이런 것이려나. 신중하게 고려하여 포핸드 라인 아래쪽으로 날린 어프로치샷approach shot[15]이 돌풍에 휩싸여 밖으로 나갔을 때 스티브 캐실이 느꼈을 분노, 아름다운 킥 서브를 태양 때문에 망치고서 길 안티토이가 겪었을 분노—느리고 허약한 동네 코트에서 그는 처음부터 서브 앤드 발리를 할 수 있던 유일한 최상급 선수였으며, 이는 그가 캘리포니아 주립대학교 풀러턴 캠퍼스에서 뛸 때 웨스트코스트의 매끈한 시멘트에서 승승장구한 비결이다—와 똑같은 분노를 이젠 나 또한 아이들의 본성이라는 추상적 대상에 대해 경험하기 시작했다. 안티토이는 키가 하도 크고 자신의 높은 교과서적 서비스 토스를 일광 조건에 맞춰 조절하는 일에 하도 깐깐해서, 이른 오후 경기 때 코트의 북쪽 끝에서 서브를 넣을 때면 눈이 늘 보라색 방울로 차 있었으며 그 포인트가 끝나도록 팔을 마구 휘두르고 잔뜩 성질을 부리며 굼뜨게 움직였다. 코트에서 선글라스를 쓴다는 얘기는 들어본 적도 없던 시절이었다.

하지만, 그래서 요점은 그들이 느끼는 것을 나도 느끼기 시작했다는 것이다. 나는 매우 조용히 거대한 구조 안에서

---

15 네트에 접근하기 위해 치는 샷. 상대가 공을 짧게 보낼 때 그것을 즉각 포착하여 상대 코트 깊숙이 리턴하는 것이 정석이다.(옮긴이)

의 내 신체적 처지를 원망하기 시작했다. 이 원망과 비통함, 일종의 느린 뿌리썩음병은 내가 1977년 이후 한 번도 부문별 선수권 예선에 나가지 않은 이유이자 1980년에 내가 처음에는 이겼고 다음에는 부러워한 아이들이 퍼듀, 풀러턴, 미시간, 페퍼다인, 심지어 (1977년에 키가 15센티미터 자라고 지능지수가 40점 올라간 피트 부턴의 경우) 일리노이 대학교 어배나섐페인 캠퍼스에서 장학금을 받으며 테니스를 치는 동안 내가 어배나 고등학교 시절보다 작은 대학 팀에 가까스로 들어가는 데 그친 이유다.

생식의 본거지 미드웨스트에서 소외된다는 것이 좀 지나치게 형이상학적인지도 모르겠다. 자기연민이라는 건 말할 것도 없다. 어쨌거나 이때 나는 정적분과 역도함수를 발견했으며 나의 정체성이 어쨌거나 운동선수에서 수학 약골로 바뀌고 있음을 알게 되었다. 하지만 나의 미드웨스트 테니스 경력 전체가 성숙한 뒤에 피터 원리[16]의 가호 아래 쇠락했다는 것 또한 사실이다. 코트가 촌구석에 있고 예산이 적은 데다 여건이 얼마나 열악했느냐면 모기 소리가 트럼펫 같고 꿀벌 소리가 튜바 같고 바람 소리가 5등급 화재 경보 같았으며, 경기 중간에 셔츠를 갈아입어야 했고 들판에서 날아와 팔과 목에 묻은 검불을 각자 물통의 물로 씻어야 했고

---

[16] 내부 인력에 너무 많이 그리고 오랫동안 의존하게 되면 조직 구성원들은 자신의 '무능력의 한계까지 승진'함으로써 결국 조직체가 무능한 사람들로 구성되어버린다는 원리.(옮긴이)

페즈Pez 사탕 통에 소금 알약을 가지고 다녀야 했던 우리 동네 안팎에서 나는 정말로 위대함에 근접했다. 코트 전체를 플레이할 수 있었으며 물 만난 물고기였다. 하지만 더 중요한 모든 토너먼트들은 다른 현실 세계에서 치러졌다. 그곳에서 나의 촌구석 기량 따위는 보잘것없었다. 우리 지역의 전국 주니어 예선전이 열린 알링턴 테니스 센터에서는 매년 봄마다 코트를 새로 깔았다. 페어 구역의 초록색은 정신 사나울 정도로 선명했고 코트 표면은 하도 새롭고 억세서 신발을 신었어도 발이 상했으며 흠이나 경사나 균열이나 이음매가 하나도 없어 도무지 갈피를 잡을 수 없었다. 완벽한 코트에서 경기하는 것은 내게는 땅이 보이지 않는 곳에서 물을 밟는 것 같았다. 내가 어디 있는지 전혀 알 수 없었다. 1976년 시카고 주니어 인비테이셔널은 링컨셔의 배스 앤드 테니스 클럽에서 열렸는데, 코트 36개로 이루어진 거대한 토끼장을 이 모든 펜스에 부착된 이 모든 심란한 초록색 비닐 타프로 둘러쌌으며 관전의 어떤 패러디를 허락하기라도 한다는 듯 눈높이에 작은 궁안극眼을 뚫었다. 이 타프는 1971년 사이클론 펜스에서 특허를 등록한 윈드비곤Wind-B-Gone 방풍막이었다. 타프는 부당한 돌풍 중 최악의 것들을 정말로 막아냈지만, 새로운 공기가 들어올 공간을 코트에서 빼앗아 간 것 같기도 했다. 링컨셔에서 뛰고 있으면 우물 바닥에서 경기하는 기분이었다. 진짜로 본격적인 미드웨스트 토너먼트가 밤까지 계속되면 푸른색 살충등殺蟲燈이 조명을 장식했기에 머리 주위의 깔따구 구름이나 삐죽빼죽한 나방 그림자를 공으로 착각할 일은 전혀 없었다. 하지만 머리 바로 위에서 벌레들이 튀겨져 처치되는 소리는 정말이지 불쾌했다. 냄새는 … 말을 말자. 요점은, 써먹을 결함이 없어진 나는 예전과 같은 내가 아니었다는 것이다. 지금 생각해보면 바람과 벌레와 구멍은 내게 일종의 내적 경계선을, 나 자신의 개인적 줄금을 이뤘던 것 같다. 내가 일정 수준 이상의 토너먼트 시설에서 맥을 못 춘 것은 적응할 장애의 부재에 적응할 수 없었기 때문이다. 이게 말이 된다면 말이다. 사춘기 시절의 고뇌와 물질적 소외에도 불구하고 나의 미드웨스트 테니스 경력이 정체기를 맞은 것은 방풍막을 처음으로 본 순간이었다.

여전히 신기하게도 날씨 얘기가 하고 싶어서 그러는데, 우리 동네가, 실은 센트럴일리노이 동부 전체가 기상학자들이 '토네이도 앨리Tornado Alley'라 부르는 곳의 어엿한 일부임을 언급하더라도 양해해주시길. 토네이도의 발생은 전적으로 통계적 비율의 문제다. 나는 조립을 시도하는 토네이도를 땅에서 두 개, 공중에서 다섯 개 직접 봤다. 공중의 토네이도는 회백색으로, 뇌운과 별개이거나 뇌운의 돌출부라기보다는 뇌운 자체가 경기驚氣를 일으키는 것 같다. 지상의 토네이도는 검은색인데, 그 이유는 단지 수 톤의 흙을 빨아들여 휘돌리기 때문이다. 우리 동네에서 토네이도가 터무니없이 자주 일어나는 것은 온순한 바람이 일어나는 것과 똑같은 변수의 작용이라고들 한다. 우리는 전선과 기단이 수렴하는 위도와 경도에 위치한다. 3월 말엽부터 6월까지는 텔레비전 화면 어딘가에 으레 토네이도 경보가 떠 있다(지역 방송국은 화면 오른쪽 위에 작은 그래픽을 띄워두는데, 주의 단계는 안경처럼 생겼고 경고 단계는 타로의 탑 카드처럼 생겼다). 주의 단계가 뭐냐면 여건이 갖춰졌고 어쩌고저쩌고, 그러니까 장난이 아니란 얘기다. 민방위 사이렌이 울리는 때는 토네이도 경고가 발령되는 드문 경우뿐인데, 그건 제정신의 믿을 만한 사람이 자기가 토네이도를 봤다는 사실을 입증했다는 얘기다. 파일로 중학교 옥상에 있는 사이렌은 어배나 남부에 있는 것과 음높이 및 주기가 달랐으며 둘은 소리를 주거니 받거니 하면서 끔찍한 애가를 연주했다. 사이렌이 울리면 현지 주민 가족들은 식량 저장고나 핵폭발 대피소—농담 아니다—로 갔고 새 잔디밭과 평평한 슬래브 기초를 갖춘 화사한 조립식 건물에 사는 교직원 가족들은 갑작스러운 기압 감소로 인한 내파를 막으려고 창문을 죄다 열어둔 뒤에 손을 얹을 수 있는 행운의 부적을 손에 잡히는 대로 챙겨서는 1층의 가장 한가운데로 갔다. 우리 집으로 말할 것 같으면 가장 한가운데 지점은 아버지 서재와 수건 보관함 사이 복도에 있었는데, 한쪽 벽에는 플랑드르파 수태 고지 그림의 복제품이 걸려 있었고 반대쪽 벽에는 청동제 아즈텍 태양석이 기요틴 추와 함께 매달려 있었다. 나는 언제나 여동생을 태양석 아래로 데려가려고 애썼다.

집에서 멀리 떨어져 있을 때, 이를테면 난개발이 예정된 어느 시 외곽의 어느 황량한 공원에서 열린 테니스 토너먼트에 참가하고 있을 때 실제 경고가 발령되면 우리는 자신이 겪을 수 있는 가장 깊은 침잠depression에 고스란히 노출되었다. 대다수 토너먼트 개최지에서 유일한 진짜 침잠은 개간한 밭 가장자리의 관개 수로와 배수로, 녹조와 모기 살충제로 찐득찐득하고 카퍼헤드copperhead[17] 집회처럼 생긴 것으로 늘 가득 차, 생각이 있는 사람이라면 어떤 상황에서도 무방비 상태로 눕지 않을 도랑뿐이었기에, 경고가 발령되었을 때 여러분이 실제로 하는 일은 라켓을 커버에 집어넣고 자신이 사랑하는, 아니면 아쉬운 대로 좋아하는 사람에게라도 달려가 마치 괄약근을 오므리지 못할까 봐 전전긍긍하는 사람처럼 쭈뼛거리는 것뿐이었다. 엄마들은 이따금 울부짖으며 자식의 자그마한 머리통을 가슴에 끌어안았다(피킨의 스웨린전 여사는 심지어 낯선 아이의 머리통마저도 당신의 풍만한 가슴에 끌어안아 유난히 인기가 있었다).

　내가 토네이도를 언급하는 것은 이 에세이의 취지와 직접적인 관계가 있기 때문이다. 무엇보다 토네이도는 미드웨스트 유년기의 실질적인 일부분이었다. 나는 어릴 적에 토네이도에 대한 두려움에 사로잡혀 있었다. 드라마 〈로스트 인 스페이스Lost in Space〉에서 키가 1마일이나 되고 거대한 크

17　남북전쟁 당시 미국에서 전쟁에 반대하고 남부와의 협상 타결을 통해 연방을 되살릴 것을 주장했던 북부 시민들을 경멸적으로 일컫던 말.(옮긴이)

로케 나무망치를 휘두르던 로봇—누구냐고 묻지 마시라—이 나오지 않는 최초의 악몽들은 비명을 내지르는 사이렌과 희디흰 하늘, 아이오와 지평선 어둑한 하늘에서 도마뱀보단 덜 자지처럼 불쑥 튀어나와 몸집이 두 배로 보일 만큼 광적으로 몸부림치며 제 꼬리를 먹으려 들면서 검불과 흙과 의자를 내던지는 호리호리한 괴물에 대한 것이었다. 수평선보다 더 가까이 다가온 적은 한 번도 없었다. 그럴 필요가 없었다.

현실에서 주의 단계와 경고 단계는 둘 다 파일로 주민들에게 일종의 양치기 소년이었다. 하도 남발되었으니 말이다. 주의는 특히나 어처구니없었는데, 서쪽에서 폭풍우가 몰려오는 광경을 일찌감치 볼 수 있었을 뿐 아니라 (이를테면) 디케이터를 지날 즈음에는 구름의 색깔과 높이로 기본적 상태를 진단할 수 있었기 때문이다. 모루 모양 적란운이 우뚝할수록 우박과 경고의 확률이 높아졌고, 야릇한 흰색 진주가 박힌 회색 구름보다는 시커먼 구름이 좀 더 안심이었으며, 번갯불과 우렛소리의 간격이 짧을수록 기상계氣象界의 이동 속도가 빨랐고 기상계가 빠를수록 상황이 나빴다(우리를 해코지하려 드는 것들이 다 그렇듯 지독한 뇌우일수록 똘똘하고 빠릿빠릿하다).

내가 나이가 들어도 강박에서 벗어나지 못한 이유를 안다. 내게 토네이도는 변모transfiguration였다. 여느 심각한 바람처럼 토네이도는 들판의 z 좌표를 살짝 잡아당긴 것, 고랑, 도로, 축, 격자의 유클리드적 단조單調로부터의 상승이었다. 우리는 토네이도를 중학교에서 배웠다. 캐나다에서 발생한 고기압이 다코타에서 남동쪽으로 직선을 그리며 토네이도를 보내고 고온 다습한 기단이 마치 아칸소 출신이라도 되는 듯 북쪽으로 느릿느릿 올라간다. 그 결과는 그리스어 χ가 아니고 심지어 데카르트의 Γ도 아닌, 정사각형이 둥글어지고 벡터가 구부러지고 곡선이 오목해지는 모양이었다. 그것은 연금술적이요 라이프니츠적이었다. 토네이도는, 센트럴일리노이의 우리 지역에서는 평행선이 만나 소용돌이치다 터지는 무차원의 점이었다. 말이 되지 않았다. 집들은 외파되지 않고 내파되었다. 사창가는 무사한데 옆 건물의 고아원이 직격탄을 맞았다. 소들이 죽었는데 5킬로미터 떨어진 녀석들의 건초 창고는 흠집 하나 없었다. 토네이도는 전능하며 어떤 법칙도 따르지 않는다. 법칙이 없는 힘은 아무런 형태도 없다. 경향과 지속만 있을 뿐. 어릴 적에는 이 모든 것을 알지 못하면서도 알았던 것 같다.

어쩌면 진짜 토네이도였는지도 모르는 무언가에 딱 한 번 휩싸인 것은 1978년 6월, 샘페인 헤슬 공원 테니스장에서 길 안티토이와 연습하던 어느 오후였다. 나는 토너먼트 적수로는 멸시당해 싸고 실제로도 멸시당했지만 연습 파트너로는 귀하신 몸이었는데, 그 이유는 기계 같은 무심한 한결같음으로 상대방이 원하는 곳에 공을 꽂아줄 수 있었기 때문이다. 이 특별한 날은 저녁 식사 시간에 비 소식이 있었으며 서쪽으로 몬티셀로 방향에서 들릴락 말락 하는 사이렌 소리를 두어 번 들은 것 같았지만, 안티토이와 나는 브레시아와 미스가 둘 다 출전한다는 소문이 돌던 시카고의 무지막지한 클레이 인비테이셔널 대회를 준비하기 위해 헤슬의 (공이 느린) 하트루Ha-Tru 클레이 코트에서 그 주 내내 오후마다 도를 닦듯 열심히 연습했다. 우리는 8자 연습을 하고 있었다. 내가 크로스crosscourt[18] 포핸드를 다운더라인down the line[19]으로 받아 쳐 안티토이의 백핸드에 떨어뜨리면 그는 크로스로 나의 백핸드에 보내고 나는 다시 다운더라인으로 그의 포핸드에 꽂으면서 45도 각도가 네 개 생기는데, 'X'로 교차하는 그의 크로스는 네 개의 90도면서 또한 십자가를 히틀러 깃발의 (90도가 여덟 개 있는) 스와스티카 만들듯 4분의 1회전 시킨 것이기도 했다. 연습 중에 내 머릿속을 스쳐 간 것은 이런 생각들이었다. 헤슬 공원은 샘페인 서쪽 끝에 있는 거대한 크래프트Kraft 공장의 치즈 냄새를 진하게 풍겼으며, 근사하고 값비싸고 말랑말랑한 하트루 코트는 하도 진한 솔잎 색깔이어서 형광색 공의 비행 궤적이 꼬리를 그리며 시야에 몇 초 더 남아 있었는데, 이것은 8자 연습에서 각도와 상형문자가 인상적이던 또 다른 이유다. 하지만 여기서

---

18 테니스에서 상대를 좌우로 많이 뛰게 하기 위하여 상대편의 좌우 코트에 대각선으로 공을 보내는 기술.(옮긴이)

19 테니스에서 상대편 코트의 사이드 선과 평행하게 직선으로 공을 보내는 기술.(옮긴이)

핵심은 8자 연습이 기본적으로 지구력 훈련이라는 것이다. 두 선수는 스트로크를 때릴 때마다 코트 한쪽 측면에서 반대쪽 측면으로 이동해야 하며 처음의 통증과 바람 효과가 사라지면—여러분이 헤아릴 수 없는 시간 동안 코트 구석에서 우직하게 줄넘기를 하거나 뒤로 돌아 인터벌 달리기를 하거나 별 모양 연습star-drill을 하거나 아침마다 갓 갈아놓은 콩밭의 완벽한 고랑을 따라 직선 달리기를 해서 말도 안 되는 몸매를 만들어뒀다고 가정한다면—그러니까 8자 연습에서 최초의 통증과 피로가 물러나면, 그리고 두 선수 다 훌륭해서 랠리를 끊는 범실을 저지르지 않는다면, 당신 내면에서 새로운 둔주 상태fugue-state[20]가 열려 멀리 고정된 한 점에 의식이 집중되고 팔다리와 부드럽게 쓱 미끄러지는 운동화 소리와—하트루에서 달릴 때는 발이 미끄러질 수밖에 없다—코트 라인 밖에 있는 모든 것에 대한 자각을 잃는다. 그때 자신이 아는 것이라고는 밝은 공과, 코트의 초록 당구대를 가로지르는 궤적의 나비 모양 8자 윤곽뿐이다. 우리가 바로 그런 끝 모를 랠리를 하나 마치고 내가 내면으로 적막하게 낙하하여 지구를 떠났을 때, 머리 위 하늘에서 햇빛이 싹 사라지면서 코트와 공과 8자 궤적이 모조리 환하게 빛났다. 눈에 흙먼지를 불어 넣던 바람이 몇 분간 사라진 것을

---

20 일과성 의식의 장애로, 환자는 목적이 있는 행동을 하지만 그것을 후에 의식으로 상기하지 못한다.(옮긴이)

—이것은 나쁜 징조였다—우리 둘 다 눈치채지 못했다. 사이렌은 울리지 않았다. 나중에 듣기로 기상청 경보망이 고장 났었다고 한다. 이날이 1978년 6월 6일이었다. 기압이 어찌나 뚝 떨어지던지 머리카락이 쭈뼛 서는 게 느껴졌다. 천둥도, 공기의 움직임도 전혀 없었다. 왜 우리가 계속 공을 때리고 있었는지는 모르겠다. 둘 다 아무 말도 하지 않았다. 사이렌은 울리지 않았다. 때는 정오였으며 코트에는 우리 말고는 아무도 없었다. 저기 동쪽 소프트볼 구장에서는 잔디깎이 차가 여전히 왔다 갔다 하고 있었다. 정서正西의 새로 심은 옥수수밭을 따라 난 부패 중인 도랑 말고는 침잠도 전혀 없었다. 우리가 무엇을 할 수 있었을까? 지독한 폭풍우가 닥치기 전에는 늘 공기에서 풀 벤 냄새가 난다. 기껏해야 비가 올 거라고, 비가 내리기 직전까지 연습하다가 안티토이 부모님의 스테이션왜건에 들어가 앉아 있으면 되겠다고 생각했던 것 같다. 변태적 기억 하나가 떠오른다. 내 라켓의 줄은 동물 창자로 만들었는데, 부문별 상위권 선수들은 누구나 라켓 면에 'W' 자를 윌슨사의 영업사원이 래커로 칠하게 허락하는 대가로 이 줄을 공짜로 얻을 수 있었지만 나는 이 라켓에 지금 매놓은 줄이 유난히 마음에 들었다. 팽팽하되 너무 팽팽하지는 않은, 프로플라이트Proflite 줄감개stringer[21]로 측정했을 때 62~63프사이psi라는 것과 젖으면 파스타가 되어버리

---

[21] 라켓에 줄을 감는 기계, 또는 사람.(옮긴이)

는 것도 좋았다. 하지만 우리는 반복으로 기진맥진하여 둔주 상태, 라켓을 잡은 내내 내가 추구하기로 마음먹은 둔주 상태, 완벽한 선을 따라 올라갔다 내려왔다 보초를 서면서 밭을 갈고 씨를 심고 수꽃을 따고 농약을 뿌리거나 평평한 아스팔트에서 최면에 걸린 듯 행군하는 둔주 상태, 밋밋하면서도 무성하고 멍하면서도 격렬하게 느껴지는 정신 상태에 들어가 있었다. 우리는 젊었고 언제 그만둬야 할지 알지 못했다. 몸뚱이가 지긋지긋해서 다치게, 닳게 하고 싶었는지도 모르겠다. 그때 커비가衞를 따라 서쪽으로 무릎 높이의 들판 전체가 일시에 마치 증기 롤러에 다져지듯 우리 쪽으로 물결을 이루며 납작해져 왔다. 안티토이는 포핸드 크로스를 받으려고 멀찍이 왼쪽으로 갔고 나는 옥수수가 파도처럼 쓰러지고 도랑가 수풀의 양버즘나무들이 우리 쪽으로 기우는 것을 보았다. 깔때기 모양은 어디에도 없었다. 형성됐다가 내려앉았거나 진짜가 아니었나 보다. 거대하고 육중한 그네가 위쪽 가로대를 쇠사슬로 친친 감으며 솟아올랐고 공원의 풀은 옥수수밭과 똑같이 주저앉았으며 모든 일이 이제껏 한 번도 보지 못한 빠른 속도로 벌어졌다. 비키니섬에서 터뜨린 수소 폭탄의 충격파가 배 위의 촬영팀을 향해 다가오면서 바닷물이 출렁이던 광경을 떠올려보라. 이 모든 일은 매우 빠르긴 했지만 일련의 과정을 거쳐 일어났다. 들판, 나무, 그네, 풀, 그다음에는 세상에서 가장 큰 미트mitt²²를 벗기듯 갑자기 선정적으로 훌러덩 들춰지던 네트.

안티토이를 향해 후려친 공이 좌에서 우로 급격히 휘어지고 어떤 이유에서인지 방금 친 공을 뒤쫓아 달려가려고 했지만 내가 친 공을 뒤쫓아 달려가려고 했을 리는 없었던 광경이 기억나는 듯도 하지만, 허벅지가 묵직하고 부드럽게 밀어 올려지고 공이 반대로 휘어 내게 다가오고 내가 공을 지나쳤다가 수평의 네트 위로 공중의 공을 때리고 땅을 한 번도 디디지 않은 채 12미터 위로 만화처럼 치솟아 허공에 검불과 오물이 널려 있는데 안티토이와 나는 둘 다 맹세컨대 15미터를 날았거나 빙글빙글 날려 한 코트 너머 동쪽 끝 펜스에 하도 세게 부딪혀서 펜스를 반쯤 쓰러뜨려 45도로 기울이고, 안티토이는 망막이 떨어져 나가 여름내 카림 압둘 자바 풍의 근사한 고글을 써야 했고, 펜스는 냄비에 맞은 남자의 얼굴 자국이 냄비에 찍히는 만화에서처럼 몸뚱이 모양으로 두 군데가 파여 포수 마스크 두 개가 되고, 우리는 둘 다 얼굴과 몸통과 다리 앞쪽에 펜스 자국이 사각형으로 깊게 파이고 여동생은 우리가 와플처럼 보인다고 말했으나 우리 둘 다 중상을 입지는 않았고 누구의 집도 파손되지 않았다. 토네이도가 그 직후에 아무 이유 없이 다시 올라가버렸거나—정말로 그러니까, 어떤 규칙도 지키지 않고 어떤 선도 따르지 않고 의지라고 불러도 무방한 무언가에 따라 오르락내리락하니까—진짜 토네이도가 아니었을 것이다. 안티토이

---

22   손가락이 없는, 팔까지 오는 부인용 긴 장갑.(옮긴이)

토네이도 앨리에서 파생된 스포츠

의 테니스 실력은 그 뒤로 줄곧 향상되었으나 내 실력은 그러지 못했다.

1990년

트레이시 오스틴이
내 가슴을 후벼 판 사연

How Tracy Austin Broke My Heart

오랫동안 나는 일반적으로는 테니스의, 구체적으로는 트레이시 오스틴의 광팬이었으므로 크리스틴 브레넌이 대필하고 모로에서 출간한 오스틴의《센터코트 너머: 나의 이야기Beyond Center Court: My Story》를 어떤 스포츠 회고록보다 고대했다. 스포츠 회고록—스포츠 스타가 누군가의 도움을 받아 쓴 자서전—은 내가 수도 없이 구입하여 읽은 대중서 장르로, 온갖 종류의 영고성쇠와 양면성과 당혹감이 담겨 있기에 나는 대체로 고급 문학으로 치는 편이다. 하지만 오스틴의 회고록을 마지막으로 어쩌면 이 장르에 대한 애정이 식어버릴지도 모르겠다.

《센터코트 너머》의 오스틴이 사건과 인물을 어떻게 묘사하는지 몇 대목만 살펴보자.

1979년 유에스 오픈에서 크리스 에버트와의 결승전 1세트에 대하여: "2-3에서 나는 크리스를 꺾었고 그런 다음 크리스가 나를 꺾었고 다시 내가 크리스를 꺾어서 우리는 4-4가 되었다."

그 결승전에서 승리하고 얻은 깨달음에 대하여: "그 순간 내가 무슨 일을 해냈는지 깨달았다. 그것은 유에스 오픈에서 우승한 것이었다. 짜릿했다."

프로 대회의 정신적 중압감에 대하여: "모든 프로 선수는 정신적으로 미세하게 조정되어 있어야 한다."

자신의 부모에 대하여: "우리 어머니와 아버지는 단 한 번도 나를 다그치지 않았다."

마르티나 나브라틸로바에 대하여: "그녀는 경이로운 인물이며 무척 섬세하고 다정다감하다."

빌리 진 킹에 대하여: "그녀도 엄청나게 매력적이고 싹싹하다."

브룩 실즈에 대하여: "그녀는 무척 상냥하고 밝았으며 낯을 전혀 가리지 않았다."

탁월함에 대하여: "누군가는 기꺼이 마지막 힘을 짜내려 하고 누군가는 그러지 않는다. 왜 그럴까? 나는 그것이 최고가 되기 위한 관건이라고 생각한다."

이쯤 하면 내 심정을 이해하실는지. 하지만 긍정적인 면을 보자면, 숨 막힐 정도로 맹숭맹숭한 이 자서전은 대중용 스포츠 회고록의 무엇이 우리를 매혹하고 실망시키는지 이해하는 데 실마리를 던질지도 모른다. 《센터코트 너머》는 책으로서는 거의 초지일관 부실한데도 어마어마하게 잘 팔린다. 이런 책이 그토록 많은 것은 이 때문이다. 이런 책이 그토록 잘 팔리는 이유는 운동선수의 이야기에 낡고 평범한 유명인 자서전을 넘어선 무언가가 들어 있는 것처럼 보이기 때문이다.

내 이론은 이렇다. 최상급 운동선수들이 매혹적인 이유는 우리 미국인들이 숭배하는 성취—비교를 바탕으로 가장 빠른 사람, 가장 강한 사람을 우러러보는 성향—를 구현한 인물이자 그 결과물에 대해 모두가 승복할 수 있기 때문이다. 최고의 배관공이나 최고의 관리 회계사를 뽑는 문제는 '최고'를 정의하는 것조차 불가능한 반면에, 최고의 구원 투수, 최고의 자유투 슈터, 최고의 여자 테니스 선수는 어느 시점을 기준으로 하든 공식 통계 기록의 문제일 뿐이다. 최상급 선수들은 경쟁 우위와 객관적 데이터에 대한 우리의 쌍둥이 강박에 호소함으로써 우리를 매혹한다.

게다가 그들은 아름답다. 샤갈이 그린 신부新婦처럼 공중에 매달린 조던, 유클리드를 거스르는 각도로 터치 발리를 구사하는 샘프러스를 보라. 또한 그들은 영감을 불어넣는다. 물리 법칙의 예외를 빚어내는 세계적인 선수들에게는 인간 안에서 신의 모습을 드러내는 초월적 아름다움이 있다. 그러니 이론은 사실 하나가 아니다. 위대한 운동선수들의 동작에는 깊이가 있다. 그들은 '힘'과 '품위'와 '절도' 같은 추상적 개념이 현실에서 구체화되도록 할 수 있을 뿐 아니라 전달 가능하도록 만들 수도 있다. 최상급 운동선수가 되어 경기한다는 것은 짐승과 천사의 빼어난 혼혈이 된다는 것이다. 반면에 우리 같은 평범하고 볼품없는 구경꾼이 스스로의 내면에서 이런 모습을 발견하기란 여간 힘든 일이 아니다.

그래서 우리는 그들을, 남다른 재능과 홀린 듯한 열정으로 신체적 위업을 달성한 이 사람들을 알고 싶어 한다. 관객인 우리 또한 무언가에 홀린다. 경기를 보는 것만으로는 충분하지 않게 되는 것이다. 우리는 저 모든 심오함과 친밀해지고 싶다. 그 속으로 들어가고 싶다. 우리는 이야기를 원한다. 비천한 뿌리, 궁핍, 조숙함, 굳은 다짐, 낙담, 끈기, 협동심, 희생, 포식자 본능, 진통제, 통증에 대해 듣고 싶다. 그들이 어떻게 해냈는지 알고 싶다. 어린 래리 버드는 집 앞 진입로에 조명등을 달아두고서 얼마나 긴긴밤 점프 숏 연습을 했을까? 비에른 보리는 매일 아침 연습을 위해 얼마나 일찍 일어났을까? 딕 버트커스 형제가 시카고 길거리에서 체력 훈련용으로 밀고 다닌 차는 어떤 모델이었을까? 파머와 브렛과 페이턴과 에버트가 포기해야 했던 것은 무엇이었을까? 물론 아름다우면서 최고인 것이 내면에서 어떻게 느껴지는지도 알고 싶다("빅게임에서 승리했을 때 어떤 심정이었나요?"). 깜박이지도 않는 수백만 개의 눈동자 앞에서 수천 달러가 걸린 퍼팅이나 자유투에 성공하려면 얼마나 마음을 비우고 집중력을 발휘해야 할까? 저들의 머릿속에는 어떤 생각이 스쳐 지나갈까? 이 선수들이 진짜로 사람일까? 우리와 조금이라도 닮은 점이 있을까? 그들이 겪는 패배의 고통을 우리가 일상에서 겪는 하찮은 고통과 비교할 수 있을까? 승리의 희열은 또 어떨까? 넘버원 손가락¹을 치켜들었는데 그야말로 자신이 넘버원이면 어떤 기분일까?

나는 트레이시 오스틴과 나이가 비슷하고 같은 주니어 등급의 대회에 참가했으며 거리상으로는 훌쩍 떨어져 있고 수준으로 따지면 그녀보다 몇 계단 아래다. 1977년에 갓 열네 살이 된 캘리포니아 여자애 하나가 포틀랜드에서 열린 프로 토너먼트에서 우승했다는 소식을 들었을 때 우리 모두가 느낀 감정은 질투라기보다는 궁금증이었다. 우리 중 누구도 성인 프로 수준은 고사하고 18세 이하 최고에 도전할 엄두조차 내지 못할 때였다. 우리는 그녀를 찾아 테니스 잡지를 뒤지고 흐릿한 케이블 채널에서 그녀의 경기를 검색했다.

---

1   집게손가락.(옮긴이)

그녀는 137센티미터에 38.6킬로그램이었다. 그녀가 때리는 공은 위력이 어마어마했으며 그녀는 한 번도 실수하거나 긴장하지 않았다. 팔찌와 양 갈래 피그테일pigtail[2]을 매섭게 휘두르며 프로들의 코를 납작하게 했다. 그녀는 여자 테니스 최초의 진짜 어린이 스타였으며 1970년대 후반의 그녀는 비범하고 아름다운 영감의 원천이었다. 그녀의 경기에서는 나이에 어울리지 않는 성숙한 천재성이 드러났는데, 깔깔 웃는 모습과 바보 같은 머리 모양이 이를 더욱 돋보이게 했다. 열다섯 살짜리가 발휘할 수 있는 최고의 집중력을 발휘하여, 우리 둘이 어떤 차이가 있기에 이 여자애는 텔레비전 화면 저쪽에 있고 나는 이쪽에 있는지 고민하던 기억이 난다. 그녀는 천재였고 나는 아니었다. 그게 어떤 기분이었을까? 그녀에게 진지하게 묻고 싶은 질문이 있었다. 그녀의 기분이 어땠는지 정말이지 알고 싶었다.

이것이야말로 이런 스포츠 회고록이 시장에서 인기를 끄는 비결이다. 그것은 최상급 운동선수들에게 깊이가 있기 때문이고 그들이 신체적으로 가장 뚜렷이 구별되는 모종의 천재성을 나타내기 때문이다. 그래서 그들의 삶과 그들의 두개골 내부를 보여주겠다는 대필 초대장은 독자에게 지독하게 매력적이다. 회고록은 명시적으로든 아니든 한 가지 약속을 한다. 그것은 무엇이 어떤 사람을 천재로, 반신半神으로 만

한 갈래 또는 두 갈래로 땋아 내린 머리 모양.(옮긴이)

드는가라는 형언할 수 없는 미스터리를 꿰뚫어 보게 해주겠다는 것, 그 비밀을 우리와 나눠 우리와 그들의 차이를 밝혀내고 조금이나마 없애게 해주겠다는 것, 그리고 우리에게 그 (우리가 바라고 기대하는 오직 하나, 거대 서사이자 열쇠인) 이야기를 들려주겠다는 것이다.

하지만 이 자서전들이 내건 솔깃한 약속이 지켜지는 일은 드물다. 《센터코트 너머》는 더더욱 실망스럽다. 이 책이 실망스러운 이유는 글이 형편없어서라기보다는(물론 형편없긴 하지만. 대필 작가 브레넌이 이 책에서 어떤 역할을 했는지 알 수 없으나 오스틴 자신이 썼어도 "테니스는 마치 마법 양탄자처럼 나를 온갖 종류의 장소와 온갖 종류의 사람에게 데려다주었다"와 같은 죽은 문장으로 가득한 200쪽짜리 책—이 책에 생기를 불어넣는 것이라고는 "내 테니스 인생의 나머지 절반인 부상이 나를 덮칠 참이었다" 같은 몇 번의 위기뿐이다—보다 더한 졸작을 쓸 수 있었을지는 의문이다) 대학 2학년생이면 누구나 알고 있는 설명문의 중죄—자기가 쓰는 글의 독자가 누구인지 망각하는 것—를 저지르기 때문이다.

훌륭한 상업주의적 회고록이 가장 우선적으로 배려해야 하는 대상이 독자인 것은 두말할 필요가 없다. 독자는 자신이 알고 싶어 하고 한 번도 만나지 못할 누군가의 의식에 닿기 위해 돈과 시간을 쓰는 사람이기 때문이다. 하지만 《센터코트 너머》는 독자를 전혀 배려하지 않는다. 저자가 주로 신경 쓰는 것은 자신의 가족과 친구인 듯하다. 이 책은 온통 부모, 형제, 코치, 트레이너, 에이전트에게 바치는 지루한 아카데미상 수상 소감에다 자신이 만난 적 있는 모든 운동선수와 유명인에게 보내는 너절한 찬사 일색이다. 특히 자신의 (극도로, 초월적으로 흥미진진한) 선수 경력에 대한 오스틴의 묘사는 엉뚱하게도 자신이 맞붙은 모든 상대 선수에 대한 덕담으로 흘러간다. 대표적인 예를 들어보자. 그녀는 1980년 윔블던 3회전의 상대 선수인 미국의 바버라 포터를 이렇게 설명한다.

그녀는 정말로 훌륭한 사람이다. 바버라는 내가 부상당한 기간 내내 다정하게도 내게 책을 보내주고 연락을 취하고 내 상태를 물어봐줬다. 바버라는 단연코 투어에서 가장 똑똑한 사람 중 하나였다. 지금 대학에 다닌다고 들었는데, 이것은 우리 나이의 여성에게는 만만한 일이 아니다. 나는 바버라를 알기에 그녀가 어떤 동료 학생보다 열심히 공부하리라 확신한다.

그런가 하면 엉뚱하게도 우리 스포츠 팬들이 신화와 신비의 베일을 짜는 소재인 바로 그, 이런 스포츠 회고록에서는 우리를 위해 극구 멀리하는 바로 그 클리셰에 충성을 바치고 호감을 내비친다. 전형적 스포츠인의 인생 공식에 들어맞도록 자신의 삶과 선수 경력을 짜 맞춘 게 아닌가 싶을 정도다. 이 책에는 섬세하고 자상한 엄마, 다정한 아빠, 유명인 트레이시를 평범한 아이 취급하는 짓궂은 형제들이 등장한다. 우리의 순진한 여주인공은 경험을 통해 세상을 배워가고 올곧은 투지를 발휘하여 천진함을 초월한다. 무뚝뚝하지만 속마음은 부드러운 코치와, 처음에는 냉소적이지만 마침내 여주인공을 받아들이는 베테랑 선수들도 나온다. 뒤통수를 때리는 못된 라이벌도 있다(이 책에서 고운 말을 안 쓰는 부분은 팸 슈라이버를 언급하는 문장이 유일하다). 심지어 신화의 필수 요소인 비천한 뿌리도 있다. 기업 소속 과학자인 아버지와 컨트리클럽 테니스장에서 죽치는 날씬하고 가무잡잡한 어머니를 둔 오스틴은 캘리포니아의 부촌 롤링힐스에서 보낸 유년기를 곤궁했던 시절로 묘사하려 한다. "우리는 오만 가지 방법으로 절약해야 했다. (⋯) 식비를 줄이려고 분유를 먹었고 (⋯) 베이컨은 성탄절에만 구경할 수 있었다." 우리는 이런 서술에서 현실과 동떨어진 느낌을 받다가 이내 저자가 선택한 현실이 단지 비현실적인 게 아니라 반현실적임을 깨닫는다.

사실, 실제의 다면적 삶을 비슷하게나마 잠시 엿보게 해주는 것이라고는 (인물에 대해 알려주는 게 없다는 점에서는 보도자료식 분위기와 보편적 신화 구조 못지않지만) 오로지 화자의 어수룩함뿐이다. 말하자면 이 책의 비뚤어진 애정이 한풀 누그러지는 곳은 저자가 본의 아니게 이를 드러내는 대목뿐이다. 이를테면 그녀는 반복적으로 또한 성녀 제르트루다 못지않은 열정으로 자신이 세 살 때 어머니가 테니스를 "강제로 시킨 게 아니"라고 항변하는데, 세 살은 선택에 대한 자각이 없어서 강제로 무엇을 시킬 이유가 없다는 사실을 결코 떠올리지 못했음이 분명하다. 오스틴의 어머니는 딸이 태어나기 전날 저녁에도 나머지 자녀 네 명을 데리고 테니스 훈련을 시킨 인물이며 그중 세 명은 프로 테니스 선수가 되었다. 회고록에서 회고하는 오스틴 여사의 모습 중 상당수는 억압이라는 측면에서 정신분석의 본고장 빈을 연상시킬 정도이며 ─"우리 어머니는 내게 코트에서 조신하라고 늘 당부했지만 나는 애초에 버릇없이 굴 생각이 전혀 없었다"─"테니스 선수로서 나의 일상생활이 실제로는 얼마나 여유로웠"는지 밝히려고 오스틴이 고른 몇 가지 사례는 소름 끼칠 지경이다.

어린 테니스 선수는 다들 틀에 박힌 삶을 살 거라는 게 통념이지만, 내 경우는 그렇지 않았다. 나는 열네 살이 될 때까지는 월요일에 한 번도 테니스를 치지 않았다. (…) 우리 어머니는 내가 일주일 연속으로 코트에 오르는 일은 없도록 했다. 어머니는 월요일에 클럽에 가지 않았기 때문에, 우리도 결코 가지 않았다.

갈수록 태산이다. 어린 시절 부분의 후반부에 이르면 오스틴은 컨트리클럽에서 어떤 남자와 "근사한 우정"을 나눈 사연을 이야기한다. "그는 훗날 내 숙적이 될 사람들과의 시합을 주선하여 친구들에게서 두둑한 돈을 땄"으며 "내게 'T' 자가 달린 목걸이를 사줬다. 'T'에는 다이아몬드가 열네 개 박혀 있었다." 이 시점에 그녀의 나이는 분명히 열 살이었다. 책에서 온전히 성년이 된 오스틴이 둘의 관계를 분석한다. "그는 매우 부유한 형사 변호사였으며 나는 돈이 궁했다. 그는 선물 세례를 퍼부어 나로 하여금 스스로를 특별하게 여기게 했다." 뭐 이런 남자가 다 있담. 사실상 전문 용어로 '스포츠 매춘sports hustling'이라 불리는 자신의 돈벌이를 그녀는 이렇게 묘사한다. "전부 재미 삼아 한 일이었다."

이어지는 절에서 오스틴은 1978년 일본에서 열린, 그다지 참가하고 싶지 않았던 프로 토너먼트를 회상한다.

집에서 너무 멀었고 나는 여독이 풀리지 않았다. 그들은 점점 많은 출전료를 주겠다고 제안했지만—10만 달러를 훌쩍 넘는 금액이었다—나는 거절했다. 마지막으로, 온 가족의 항공료를 대주겠다고 했다. 그 제안은 통했다. 우리는 일본에 갔고 나는 쉽게 우승했다.

괴상한 재무 감각은 논외로 하고—10만 달러 넘는 금액에는 안 가면서 항공료로 1000~2000달러를 얹어주니까 간다고?—여기서 트레이시 오스틴은 토너먼트에 참가하기만 하면 대가를 보장하겠다는 제안을 받아들이는 것이 1970년대 후반에 심각한 투어 규칙 위반이었음을 알지 못했던 것같다. 뒷이야기를 하자면 남녀 선수 협회에서 이런 사례금을 불법화한 것은 프로 테니스의 진정한, 또한 명목상의 진실성을 위협한다는 이유에서였다. 몇몇 스타 선수에게 두둑한 참가비를 보장하는 토너먼트는—이는 그녀의 명성으로 입장료 판매, 기업 후원, 텔레비전 수입 등을 끌어올릴 수 있기 때문이다—그 선수가 토너먼트에서 살아남는 것에 명백한 이해관계가 생기며, 따라서 그녀가 초반 라운드에서 덜 유명한 선수에게 패하지 않도록 하는 것에도 똑같이 명백한 이해관계가 생기는데, 대회의 선심과 주심은 토너먼트에 고용된 처지이므로 경기 진행에 미심쩍은 구석이 생길 우려가 있으며 실제로도 그랬다. 중요 선수가 유리한 라인 판정을 의심스러울 만큼 많이 받는 것보다 훨씬 이상한 일들이 일어났다. 웬일인지 트레이시 오스틴의 기억 속에서는 그런 적이 한 번도 없었지만.

이 회고록에서 줄곧 드러나는 순진함은 이중으로 혼란스럽다. 한편으로 이 화자에게서는 노골적 기만에 필요한 전두엽 활동 같은 징후가 거의 보이지 않는다. 다른 한편으로 오스틴이 테니스의 불편한 진실을 몰랐다는 것은 말 그대로 말이 안 된다. 아무 예나 들어보자. 그녀는 1988년 토너먼트 경기에서 선수 하나가 짭짤한 텔레비전 광고에 출연할 시간을 벌려고 일부러 패배하는 광경을 보고서 "눈을 믿을 수 없었다. (…) 시합을 미리 포기하는 상대와는 한 번도 경기한 적이 없기 때문에, 한 세트 반이 지나도록 무슨 일인지 영문을 알지 못했다". 하지만 선수의 시범 경기 및 보증 광고 endorsement 대가가 치솟으면서 고의 패배라는 부작용이 나타났음은 오스틴이 프로 테니스에 몸담은 11년여 동안 공공연히, 또한 대중에게도 보도된 바 있다. 약물로 말할 것 같으면, 1980년대 프로 테니스계에서 코카인과 헤로인에 이르는 온갖 약물과 관련하여 문제가 인식되었을 뿐 아니라 보도까지 되었음에도[3] 오스틴은 조롱과 연민이 담긴 이런 발언으로 독자의 마음을 움직이려 든다. "선수들이 마리화나를 시험 삼아 피우고 술은 틀림없이 마셨으리라 짐작하지만, 누가 언제 어디서 그랬는지는 모르겠다. 설령 그런 파티가 열렸더라도 나는 초대받은 적이 없다. 그래서 무척 다행이라고 생각한다." 매번 이런 식이다.

하지만 《센터코트 너머》가 유난히 실망스러운 궁극적 이유는 이 책이 '나는 경기하기 위해 태어난 사람'류의 그저 그런 스포츠 회고록보다 훨씬 나은 작품이 될 수도 있었기 때문이다. 트레이시 오스틴의 인생사와 인생 역정은 고전이라 할 만큼 비극적이다. 그녀는 (지금은 테니스계에서 일반화된) 매력적인 천재 선수의 시초였으며 그녀의 등장은 유성처럼 찬란했다. 걸음마를 배우던 시절에 코치계의 구루 빅 브레이든에게 발탁된 오스틴은 네 살에 〈월드 테니스〉의 표지를 장식했다. 그녀는 일곱 살에 첫 주니어 토너먼트에 참가했으며 열 살에 실내외를 통틀어 전국 12세 이하 여자 선수권을 차지하고 공개 시범 경기에 초청받기 시작했다. 열세 살

---

3 〈AP〉 기자 마이클 뮤소의 《합선Short Circuit》(Atheneum, 1983)을 비롯하여 투어에서의 약물 문제를 전국지에서 다룬 사례는 한둘이 아니다.

에는 대다수 주니어 대회에서 전국 타이틀을 획득하고 월드 팀 테니스 리그에서 프로로 지명되었으며 '스타 탄생'이라는 표제와 함께 〈스포츠 일러스트레이티드〉 표지에 실렸다. 열네 살에는 미국의 모든 여자 주니어 선수를 물리쳤으며 첫 프로 토너먼트 예선에 참가하여 출전권을 따냈을 뿐 아니라 전 경기에서 승리했다(이것은 운전면허 취득 연령이 안 된 아이가 인디애나폴리스 500 자동차 대회에서 우승하는 것과 맞먹는 위업이다). 그녀는 열네 살에 윔블던에서 뛰고 9등급으로 프로로 전향하여 열여섯 살에 유에스 오픈에서 우승하고 1980년 고작 열일곱 살의 나이로 세계 1위가 되었다. 그해에 그녀의 몸이 망가지기 시작했다. 그녀는 이후 4년간 부상과 기이한 사고 때문에 절름발이가 되다시피 했으며 이따금씩만 대회에 출전하면서 랭킹이 추락하는 것을 지켜봐야 했다. 그리고 스물한 살에 테니스에서 사실상 은퇴했다. 1989년 유에스 오픈에서 진지하게 복귀를 모색했으나 신호를 위반한 과속 차량에 치여 목숨을 잃을 뻔하면서 수포로 돌아갔다. 이 글을 쓰는 지금 그녀는 전직 프로 스포츠 스타로서 유명인 대상 기업 후원 클리닉을 운영하면서 (그녀가 경기하는 장면을 내가 처음 본 바로 그) 케이블 채널들에서 간간히 서글픈 해설을 맡기도 한다.

트레이시 오스틴의 선수 인생에서 거의 그리스적인 것은 그녀의 가장 두드러진 덕목인 집요한 일벌레식 완벽주의가 순수한 재능과 결합되어 그녀에게 그토록 굉장한 성공을 안겨주기는 했지만 이것이 그녀의 결점이자 악덕이기도 했다는 것이다. 그녀는 사춘기를 넘긴 뒤에도 체구가 작았는데, 강박적으로 연습에 몰두하고 모든 경기에서 끝까지 최선을 다하느라 (이제는 스포츠 의학계에서 비대와 만성 마모의 단순한 결과로 알려진) 허벅지뒷근육과 고관절굽힘근 근육통, 좌골신경통, 척추측만증, 건염, 피로골절, 족저근막염에 시달렸다. 그런 다음에도 (고전에서는 고통이 더 많은 고통을 낳으므로) 그녀는 잇따라 기묘한 사고를 당했다. 스케이트를 탈 때 코치들이 자신에게 쓰러지는 바람에 발목이 부러졌고 척추교정 정신요법을 받다가 척추가 틀어졌으며 웨이터에게 뜨거운 물세례를 받았고 JFK 공원 도로에서 색맹의 과속 운전자 차에 치였다.

그렇다면 트레이시 오스틴 자서전이 잘만 쓰였다면, 백치천재 운동선수가 의심할 여지 없는 천재성을 그저 물려받거나 획일적이고 수학적으로 계산되는 서열의 꼭대기에 쏜살같이 올라가는 이야기가 아니라 평범한 배관공과 회계사의 이야기를 우리에게 들려줄 수도 있었을 것이다. 사실 이 책은 우리로 하여금 스포츠 신화의 어두운 면에 공감하게 할 수도 있었다. 트레이시 오스틴이 할 줄 아는 유일한 것인 그녀의 기예—비극에 잔뼈가 굵은 그리스인들이라면 그녀의 '테크네techne'라고 불렀을, 숙달된 솜씨로 신들과 직접 교류하는 상태—는 우리 대부분이 무언가에 전념해볼까 하고 진지하게 생각하는 나이에 그녀에게서 떠나갔다. 이 회고록은 경쟁에서의 성공이라는 매혹이 불멸임을, 필멸자 인간이 불멸을 추구하는 모든 경쟁 분야의 연약함과 덧없음이 덜 매혹적이되 훨씬 의미 있음을 가르쳐줄 수도 있었다. 오스틴의 이야기는, 운동만 하다가 스물한 살에 소진된 영재가 겪은 역경은 정도 차이를 제외하면 일만 하다가 예순두 살에 죽은 공인회계사 가장이 겪은 역경과 아무런 차이가 없으므로, 심오할 수도 있었다. 이 책은, 열일곱 살에 모든 것을 얻었다가 스물한 살에 자신이 어찌할 수 없는 이유로 모든 것을 잃는 것이 그 뒤에도 살아가야 한다는 사실 말고는 죽음과 꼭 같으므로, 참된 영감을 불어넣을 수도 있었다. "트레이시 오스틴이 챔피언십 테니스 너머의 삶을 발견하기까지의 오랜 분투를 그려 영감을 불어넣는 이야기"라는 책날개 문구에서 약속한 것이 바로 이것이다.

하지만 책날개 문구는 거짓말이다. 여기서 '영감을 불어넣는inspirational'이라는 말은 '가슴 따뜻한', '훈훈한', 심지어 (하느님, 용서하소서) '장대한' 따위와 기본적으로 똑같은 상투적 광고 문구 클리셰의 의미로서만 쓰이고 있기 때문이다. 여느 상품 광고 클리셰와 마찬가지로 이 문구는 모든 것을 암시하되 아무것도 의미하지 않으려는 수작이다. 미스터 아메리칸 헤리티지에 따르면 '영감을 불어넣다'라는 말의 본뜻은 '~의 마음이나 감정을 움직이다; 신의 영향력으로 소통하다'다. 즉, '영감을 불어넣는'이라는 말을 올바르게 썼다면 그 의미는 위대한 운동선수가 경기할 때 자신이 일생을 바친 특정한 신성을 나눠주고 사람들로 하여금 우리 대다수에게 여전히 추상적이고 내재하는 은총의 구체적이고 찰나적인 현현을 목격하게 해준다는 것이다.

트레이시 오스틴이 경기장에서 거둔 성과는 초월적이었지만 그녀의 자서전은 '영감을 불어넣는'이라는 책날개 문구의 약속에 전혀 값하지 못한다. 신성은 고사하고 이 책에서는 인간의 모습조차 찾아볼 수 없기 때문이다. 이것은 문장이 난삽하거나 구조가 엉성해서만은 아니다. 이 책에 생기가 없는 이유는 진짜 감정을 전혀 전달하지 않기에 자각을 가진 사람의 흔적이 조금도 남아 있지 않기 때문이다. 수화기 너머엔 아무도 없다. 감정적으로 의미 있는 순간이나 사건이나 전개는 모두 컴퓨터 같은 스타카토로 표현되거나, 감정을 죽이는 것이 유일한 역할인—왜 그런지 생각해보시길—틀에 박힌 홍보 말투로 전달된다. 이를테면 오스틴이 프로 토너먼트에서 세계적인 성인 선수를 물리치고 첫 승을 거둔 순간이 어떻게 묘사되는지 보자.

힘든 시합이었다. 내가 승리한 비결은 그녀보다 오래 버텼다는 것이다. 나는 끈기로 명성을 얻기 시작하고 있었다. 베이스라인에서 경기할 때는 끈기가 전부다. 1등 상금은 2만8000달러였다.[4]

선수 경력의 비극적 절정은 어떻게 그리는지 살펴보자.

5년간 복귀 준비를 하고서 플러싱메도 내셔널 테니스 센터로 (말 그대로) 가는 길에 순전히 재수가 없어서 밴에 차량 옆을 들이받혀 다리가 산산조각 난 이후 트레이시 오스틴은 세계적인 선수로서는 영영 끝장났으며 몇 주간 견인 장치에 달린 채 누워 자신이 알던 유일한 삶의 종말을 곱씹어야 했다.《센터코트 너머》에서 오스틴이 이 역경을 매개로 영감을 불어넣은 방법은 리오 버스캘리아Leo Buscaglia[5]를 인용하고, 새로 발견한 쇼핑 열정을 묘사하고, 자신이 이제껏 만난 모든 유명인의 명단을 한 장章 내내 지루하게 읊는 것이었다.

물론 오스틴이나 그녀의 책만 그런 것은 아니다. 이와 똑같은 기계적 진부함이 스포츠 회고록 장르뿐 아니라 최상급 운동선수에게 그가 가진 '테크네'의 내용이나 의미를 묻는 방송 제의祭儀에 속속들이 스며 있음은 쉽게 알 수 있다. 경기 후의 텔레비전 인터뷰를 아무거나 틀어보라. "케니, 남은 시간이 하나도 없는, 그러니까 '제로'일 때 엔드 존에서 아슬아슬하게 공을 잡아 경기를 승리로 이끈 기분이 어떤가요?", "음, 프랭크, 저는 정말로 기뻤어요. 행복하고 또 기뻤죠. 우리는 다들 열심히 훈련했고 오랫동안 한솥밥을 먹었

---

4   아니면 유에스 오픈에서 처음 우승했을 때의 소감을 다시 들어보라. "그 순간 내가 무슨 일을 해냈는지 깨달았다. 그것은 유에스 오픈에서 우승한 것이었다. 짜릿했다." 이 구절이 뇌리에서 잊히지 않는다. 마치 책의 모든 환멸스러운 것을 진부한 문구 하나로 압축해놓은 듯하다.

5   미국의 동기 부여 전문가.(옮긴이)

어요. 팀의 승리에 기여할 수 있다는 건 언제나 뿌듯한 일이죠.", "마크, 지금까지 여덟 타석 연속 홈런을 때려 양대 리그 타점 선두인데, 여기에 대해 할 말이 있나요?", "글쎄요, 밥, 저는 매 순간 최선을 다할 뿐이에요. 아시다시피 저는 기본적인 것에 집중하고 팀에 기여하려고 노력했습니다. 다들 알겠지만, 매 경기 매 경기 승리를 쌓아가고 끈기를 발휘하고 서두르지 않고 늘 기본적으로 최선을 다해야 합니다." 이 것은 말문이 막히게 하는 답변이기는 하지만, 불가피해 보이고 어쩌면 필요해 보이기까지 하는 답변이다. 방송용 블레이저 차림의 중저음 아나운서들은 경기가 끝날 때마다 찾아와 신체적 천재들에게 틀에 박힌 클리셰를 이런 식으로 짜깁기해달라고 요구한다. 시간이 좀 지나면 이 문구들은 일종의 묘한 자장가처럼 들리기 시작하는데, 방송국에서 끈질기게 인터뷰를 요청하고 방송하는 것은 물론 이런 진부한 말을 진지하게 좋아하는 시청자가 많기 때문이다. 운동선수들이 자신의 감정을 묘사할 때의 공허가 마치 우리가 믿고 싶은 무언가를 확증하기라도 한다는 듯.

자, 그렇다면 분명한 요점은 이것이다. 위대한 운동선수들은 자신을 매혹적이게 하는 바로 그 성격과 경험에 대해 대체로 놀랍도록 무지하다. 하지만 내게 중요한 물음은 이것이 왜 그토록 언제나 지독하게 실망스러운가다. 스포츠 회고록 장르에 대한 기대를 오래전에 내려놓았음에도 왜 이 책들을 계속 사들이고 있는지, 책을 다 읽고 나면 왜 거의 언제나 골탕 먹고 엿 먹은 기분인지도 의문이다. 물론 한 가지 대답은 이런 상업주의적 자서전이 본질적으로 대중적이고 행위적인 천재에게 개인적으로, 또한 언어적으로 접근하게 해주겠다는, 지키지 못할 약속을 한다는 것이다. 이 대답의 문제는 나를 비롯한 미국 책 시장 소비자들이 그 정도로 멍청하지는 않다는 것이다. 불가능한 약속이 책의 전부라면 우리도 얼마 지나지 않아 눈치를 챌 것이며 출판사들이 회고록을 내봐야 수익을 거두지 못할 것이기 때문이다.

어쩌면 줄기차게 실망하면서도 스포츠 회고록을 계속 사게 만드는 원동력은 구체 속에서 천재성을 경험하고 추상 속에서 천재성을 일반화하려는 깊은 충동인지도 모르겠다. 정말로 이론의 여지가 없는 천재를 정의하기가 그토록 불가능하고 참된 '테크네'를 (전달할 수 없는 것은 말할 것도 없고) 그토록 찾아보기 힘들기에 우리는 운동선수로서 천재인 사람들이 강연자와 저술가로서도 천재이고 명석하고 예민하고 진실하고 심오하리라 막연히 기대하는 것인지도 모른다. 행위에서의 천재가 성찰에서도 천재일 거라 기대하는 우리의 어수룩함이 문제라면, 그들이 기대를 충족하지 못한다고 해서 칸트의 유리턱이나 T. S. 엘리엇의 커브 헛스윙보다 조금이라도 비참하거나 환멸스럽다고 말할 수는 없다.

하지만 나로 말할 것 같으면, 서점 계산대로 걸어갈 때 과거 경험의 한 발짝 앞에 희망을 두는 데는 좀 더 깊고 두려운 이유가 있는 듯하다. 한편으로 오스틴의 서사적 정신이 보여주는 무기력과 다른 한편으로 세계적 수준의 테니스에 요구되는 남다른 정신력을 화해시키는 것은 여전히 내게 버거운 일이다. 위대한 운동선수가 아둔하다고 생각할 수 있는 사람이라면 NFL 작전집playbook이나 농구 코치의 3-2 지역 방어 트랩 도표 … 아니면 트레이시 오스틴이 막대한 상금이 걸려 있고 수많은 관중이 지켜보는 가운데 24미터 떨어진 코트 구석으로 공을 몇 번이고 빠르게 꽂아 넣는 자료 영상을 자세히 들여다보길. 여러분은 군중이 지켜보는 앞에서 힘든 일을 해내느라 집중해본 적이 있는가? … 설상가상으로 당신이 실패하여 자기가 좋아하는 선수가 승리하기를 바라며 다들 한목소리로 야유를 보내는 상황이라면? 나는 세 자릿수를 넘을까 말까 하는 관중 앞에서 초급 수준의 주니어 경기를 치른 게 고작이지만, 그때 내가 할 수 있는 일이라고는 괄약근에 힘을 주는 것이 전부였다. 미쳐버릴 노릇이었다. '… 하지만 내가 여기서 더블 폴트를 저질러 이 모든 관중이 보는 앞에서 서브 게임을 내준다면? … 생각하지 말자. … 그렇긴 하지만 의식적으로 그것에 대해 생각하지 않더라도 나의 일부는 내가 무엇을 생각하지 말아야 하는지 기억하기 위해 그것에 대해 생각해야 하는 것 아닐까? … 닥쳐. 생각 그만하고 망할 놈의 서브나 넣어. … 하지만 내가 생각하지 않고 있다고 말하는 것을 아직도 내가 자각하고 있지 않다면 나 자신이 생각하지 않는다는 것에 대해 말할 수도 없잖아.' 이런 식으로 생각이 꼬리에 꼬리를 물었다. 나는 분열되고 마비되었다. 위대하지 않은 운동선수들은 대체로 그런다. 얼어붙은 채 숨이 막히는 것. 초점을 잃는 것. 자신을 의식하는 것. 자신의 의지와 선택과 움직임에 온전히 몰두하지 못하는 것.

위대한 선수들이 곧잘 '내추럴natural'이라고 불리는 것은 우연이 아니라 그들이 경기 중에 온전히 몰두할 수 있기 때문이다. 그들은 본능과 근육 기억과 자율 의지에 기대어 자신의 행위와 혼연일체가 될 수 있다. 위대한 선수들은, 비외른 보리와 잭 니클로스, 마이클 조던, **특히** 트레이시 오스틴처럼 정말로 위대한 선수들은 심지어 맥 빠지게 하는 압박과 시선 아래서도 그럴 수 있다. 그들은 여느 사람 같으면 두려움에 사로잡혀 마음이 둘로 쪼개질 상황에서도 평정심을 잃지 않는다.

그렇다면 최상급 운동선수의 천재성 배후에 있는 진짜 비밀은 침묵 자체만큼이나 난해하고 명백하고 단순하고 심오한 것인지도 모른다. 위대한 선수가 적대적인 관중의 함성 한가운데에서 승부를 결정지을 자유투를 던지려고 준비할 때 그의 마음속에서 어떤 생각이 스쳐 지나가는가라는 물음에 대한 진짜—또한 여러 겹의 베일에 둘러싸인—대답은 '아무것도'일 것이다.

위대한 선수들이 자신의 이아고[6]적 목소리를 어떻게 잠

---

6   셰익스피어의 희곡 《오셀로》에서 남들을 부추기고 이간질하는 인물.(옮긴이)

재울 수 있을까? 어떻게 두뇌를 우회하여 단순하고 빼어나게 행동할 수 있을까? 어떻게, 결정적 순간에 '한 번에 공 하나씩'이나 '여기 집중해야 해' 같은 진부한 클리셰를 떠올려 '실천'할 수 있을까? 그것은 아마도 최상급 선수들에게 클리셰가 진부한 것으로서가 아니라 단지 참된 것으로서, 또는 심지어 깊이나 진부함이나 거짓이나 참 같은 성질을 지닌 선언적 표현으로서가 아니라 유익하거나 유익하지 않은, 또한 만일 유익하다면 좌고우면하지 말고 반드시 떠올려 실천해야 하는 단순한 명령으로서 나타나기 때문일 것이다.

트레이시 오스틴은 1989년 자동차 사고 이후에 "나는 여기에 대해 내가 할 수 있는 일이 아무것도 없음을 재빨리 받아들였다"라고 썼는데, 만일 이 문장이 사실일 뿐 아니라 그녀가 겪은 수용 과정 전부를 '오롯이 묘사'한 것이라면 어떨까? 어떤 불운에 대해 자신이 할 수 있는 일이 아무것도 없으므로 받아들이는 게 낫겠다고 말할 수 있고 그에 따라 더 이상의 내적 투쟁 없이 이를 받아들일 수 있다면 그는 멍청하거나 유치한 것일까? 어쩌면 천성적으로 지혜롭고 심오하고 마치 성자와 수도사가 깨달음을 얻은 것처럼 어린아이 같은 마음으로 깨달음을 얻은 사람은 아닐까?

내게 진짜 수수께끼는 이것이다. 그런 사람은 바보일까 도인일까, 둘 다일까, 둘 다 아닐까? 유일하게 확실한 것은 그런 사람이 매우 훌륭한 산문 회고록을 내놓지 못한다는 사실인 듯하다. 그 명백한 경험적 사실은 트레이시 오스틴의 실제 이력이 그토록 압도적이고 중요하면서도 그 이력에 대한 언어적 서술에서 생기조차 찾아볼 수 없는 이유를 설명하는 최선의 방법인지도 모르겠다. 또한 소통 가능성이라는 측면에서 생각과 실천이 어떻게 다르고 실천과 존재가 어떻게 다른지 들여다보고자 한다면 이 사실은 최상급 운동선수의 자서전이 우리 독자에게 그토록 솔깃하면서도 그토록 실망스러운 이유를 이해하는 실마리를 던질지도 모른다. 하지만 진실에 대한 표준운영지침Standard Operating Procedure[7]이 으레 그렇듯 여기에는 잔인한 역설이 결부되어 있다. 그것은 선수들 같은 천상의 재능을 갖지 못한 구경꾼인 우리야말로 자신이 허락받지 못한 재능의 경험을 진정으로 보고 서술하고 생기를 불어넣을 수 있는 유일한 사람인지도 모른다는 역설이요, 운동 천재의 재능을 부여받고 발휘하는 사람들이 필연적으로 자신의 재능에 대해 눈멀고 귀먹을 수밖에 없다는 역설이다. 그들이 눈멀고 귀먹는 것은 그것이 재능의 대가이기 때문이 아니라 그것이야말로 재능의 본질이기 때문이다.

1992년

---

7   작업을 수행하는 방법을 단계별로 정리해놓은 문서.(옮긴이)

선택, 자유, 제약, 기쁨, 기괴함, 인간적 완벽함에 대한 어떤 본보기로서 테니스 선수 마이클 조이스의 전문가적 기예

Tennis Player Michael Joyce's Professional Artistry as a Paradigm of Certain Stuff about Choice, Freedom, Limitation, Joy, Grotesquerie, and Human Completeness

로스앤젤레스의 마이클 조이스가 서브를 넣을 때, 토스한 공을 따라 고개를 들 때, 그는 미소 짓는 것처럼 보이지만 실은 미소 짓는 게 아니다. 그의 얼굴 입주위근육circumoral muscle은 토스되어 올라간 공을 최고점에서 때릴 수 있도록 몸 전체와 더불어 잔뜩 긴장해 있다. 그는 몸을 최대한 뻗은 채 자신의 살짝 앞에서 공을 때리고 싶어 한다. 상대 선수의 야심찬 리턴을 피할 수 있을 만큼 속도를 내기 위해 힘껏 아래로 내리꽂고 싶어 한다. 지금은 1995년 7월 22일 토요일 1시, 이곳은 몬트리올에 있는 스타드 자리Stade Jarry 테니스 종합 경기장의 스타디움 코트다. ATP(프로테니스협회) '하드 코트 서킷¹—윔블던 직후에 시작되어 뉴욕시의 유에스 오픈에서 절정에 도달한다—의 주요 대회 중 하나인 캐나다 오픈˙예선 1차전이 벌어지고 있다. 토스된 공은 허공으로 솟아올라 위대한 선수들에게서 늘 그렇듯 1초간 머물러 기다리며 협조하는 것처럼 보인다. 상대 선수는 댄 브래커스라는 캐나다 대학 스타로, 매우 뛰어난 테니스 선수다. 반면에 마이클 조이스는 세계적인 테니스 선수다. 1991년에 그는 미국 주니어 최상위권이자 주니어 윔블던 결승 진출자였으며² 지금은 ATP 투어 4년 차로 이날 현재 지구상에서 일흔아홉 번째로 테니스를 잘 치는 선수다.

말로 표현하지는 않았지만 여기서 수사적으로 가정하는 것은 당신이 로스앤젤레스 브렌트우드의 마이클 조이스를 한 번도 들어보지 못했을 가능성이 매우 크다는 것이다. 플로리다의 토미 호도 못 들어봤을 것이다. 빈스 스페이디아도, 조너선 스타크나 로비 와이스나 스티브 브라이언도 금시초문이리라. 이들은 모두 이십 대 미국인으로, 1995년 어느 시점에 전부 세계 100위 안에 들어 있었다. 세계 68위 제프 터랭고도 모를 것이다.³ 지난해 윔블던에서 불운하게도 만인

---

1   위싱턴, 몬트리올, 로스앤젤레스, 신시내티, 인디애나폴리스, 뉴헤이븐, 롱아일랜드를 아우르는 하드 코트 서킷은 프로테니스협회 연례 투어에서 가장 고된 일정일 것이다. 기온은 38도를 웃돌고 시멘트 코트에서는 모로코의 지평선처럼 아지랑이가 피어오르고 다들 모자를 썼으며 심지어 관중조차 땀수건을 가지고 다닌다.
2   조이스는 그 결승전에서 지금은 ATP 20위 안에 랭크된 예비 슈퍼스타이자 이곳 몬트리올의 저명인사인 토마스 엔크비스트에게 패했다.

이 지켜보는 가운데 정신적으로 무너지던 모습을 기억하지 못한다면.

내 말은 무엇에서든 세계에서 최고로 잘하는 100명 가운데 든다는 게 어떤 것일지 상상해보라는 것이다. 무엇에서든. 나도 상상해보려고 해봤는데, 여간 힘들지 않았다.

스타드 자리 스타디움 코트 시설의 수용 인원은 1만 명을 살짝 웃돈다. 마이클 조이스의 예선전이 열리는 지금, 관중은 93명인데 그중 91명은 댄 브래커스의 친구와 친척인 것 같다. 한편 마이클 조이스는 관중이 있는지 없는지도 의식하지 못하는 듯하다. 그는 포인트와 포인트 사이에 얼굴 앞 허공을 뚫어져라 바라보는 버릇이 있다. 포인트 중에는 공만 바라본다.

텅 비다시피 한 경기장의 음향은 굉장하다. 숨소리 하나하나, 운동화 삑삑거리는 소리 하나하나, 아주 팽팽한 줄에 공이 '텅' 하고 부딪히는 위압적인 소리까지 다 들린다.

프로 테니스 토너먼트는 프로 스포츠 팀처럼 고유의 전

---

3   27세의 터랭고는 스탠퍼드를 3학년까지 다녔으며 조이스를 비롯한 투어의 젊은 미국인들에게 학구파 대접을 받는다. 〈1995 ATP 선수 안내서〉에 실린 그의 약력에 따르면 그의 관심사는 "철학, 문예 창작, 브리지"를 넘나들며, 체구가 작고 머리가 벗어지고 있어서 세계적인 테니스 선수라기보다는 학자나 세무 변호사처럼 보인다. 캘리포니아 토박이이기도 한 터랭고는 마이클 조이스에게 친구이자 멘토 같은 존재다. 조이스와 정기적으로 연습하며 그를 '메뚜기'라고 부른다. 조이스는—모든 사람을 좋아하는 것처럼 보인다—제프 터랭고를 좋아하며, 터랭고가 윔블던 코트 위에서 폭발한 것에 대해 논평한 것으로는 터랭고가 "매우 열정적이고 지적인 친구이며 이따금 편집증 비슷하게 된"다고 말한 것이 전부다.

통적 색깔이 있다. 윔블던은 초록색이고 볼보 인터내셔널은 담청색이다. 캐나다 오픈은, 단연코 빨강이다. 토너먼트의 명칭 후원사title sponsor[4]인 뒤 모리에 담배 회사[5]는 광고와 로고를 빨간색과 검은색으로 사방에 도배했다. 스타디움 코트는 회사명이 검은색 대문자로 박힌 빨간색 타프로 둘러싸였으며, 타프에서 오르막을 이루는 관중석은 빨간색과 검은색 깃발로 장식되어 멀리서 보면 크렘린의 장례식이나 무척 공들인 사창가처럼 보인다. 경기의 주심과 선심과 볼보이는 모두 검은색 반바지와 빨간색 셔츠를 입었는데, 겉에 퀘벡 의류 회사의 이름이 새겨져 있다.[6] 엔드 교대 휴식 시간에 앉

4　자사의 이름이나 상품을 스포츠 대회의 명칭이나 팀의 이름에 붙여 넣는 특권을 부여받는 대신 경비의 대부분을 부담하는 후원사.(옮긴이)

5　명칭 후원사는 대학 미식축구 경기 못지않게 ATP 토너먼트에도 중요하다. 올해 캐나다 오픈의 공식 명칭은 '움니움 뒤 모리에 리미테Omnium du Maurier Ltée'다. 하지만 아직도 다들 캐나다 오픈이라고 부른다. 대형 테니스 토너먼트에는 온갖 종류와 수준의 후원사가 있으며 후원 액수와 그에 따르는 대가의 규모는 PBS 모금 방송에 맞먹는다. 캐나다 오픈의 모든 장소에 후원사의 명칭이 게시되는데, 크기와 위치는 금전적 기여 수준에 따라 다르다. 연습 코트에는 커다란 펜덱스 간판이 걸렸고 관전 코트의 서브 속도 표시판에는 라도 상표가 붙었다. 스타디움 코트와 그랜드스탠드 코트 전역의 진홍색 타프와 박스석에는 탠덤 컴퓨터스/APG, 벨 시그마, 로랑 은행, 이마스코 유한회사, 에반스 테크놀로지, 모빌리아, 벨 캐나다, 아르고 철강 회사 등 그 밖의 후원사 명칭이 박혀 있다.

6　후원사가 되는 또 다른 방법: 토너먼트에 공짜 물건을 주되 여러분의 이름을 엄청 큰 글자로 새긴다. 모든 코트의 키 큰 주심석에는 트로피카나에서 제공했다는 표시가 붙어 있고 새 수건과 헌 수건을 넣는 모든 통에는 왐수타, 코트 옆 (쓰레기통만 하고 투명 플라스틱 뚜껑이 있는) 아이스박스에는 트로피카나와 에비앙이라고 쓰여 있다. 특정 음료 브랜드를 개인적으로 보증하지 않는 선수들은 대체로 에비앙을 마시는데, 오렌지 주스는 코트에서 수분을 보충하기에는 약간 진하기 때문이다.

아 있는 선수들 머리 위에 펼쳐진 커다란 파라솔은 삿갓이 무성한 빨간색이고 검은색 줄기는 잡으면 뜨거울 것 같다.

스타드 자리 스타디움 코트 북쪽에 인접한 그랜드스탠드 코트는 규모가 약간 작고 한쪽에만 관중석이 있으며 수용 인원은 4800명이다. 5층짜리 득점판이 그랜드스탠드 정서正西에 놓여 있으며 늦은 오후가 되면 두 코트 다 직사각형 그림자가 진다. 캔버스 담장으로 둘러싼 일반 코트 여덟 곳도 여기저기 흩어져 있다. 오늘은 스타드 자리의 코트 열 곳 모두에서 프로 경기가 진행 중이지만, 엄밀히 말하면 캐나다 오픈 경기는 아니고 대부분 관중도 없다.

스타드 자리의 땅에는 온통 가문비나무가 자라고 노점용 천막이 쳐져 있으며 지정된 장소마다 보안 요원이 대기하고 있다. 커다란 텔레비전 방송용 트레일러들이 경기장 밖 통로에 늘어섰으며 건장한 사내들이 트레일러 옆쪽의 구멍으로 어수선하게 꼬인 케이블을 끄집어내고 있다.

토요일인 오늘, 유료 관중은 거의 없지만 세계적인 선수들은 100명 가까이 있다. 큰 키와 가는 팔다리, 젤 바른 머리카락의 프랑스 선수들, 콧잔등이 벗겨진 채 팩텐Pac-10[7] 운동복을 입은 미국 학생들, 울적한 독일인들, 따분한 표정의 이탈리아인들이 있는가 하면 눈동자에 초점이 없는 스웨덴인

---

7   미국 대학 스포츠의 지역 리그 중 하나인 태평양 콘퍼런스로, 지금은 Pac-12로 확장되었다.(옮긴이)

들, 곰보 콜롬비아인들, 사이버펑크풍의 영국인들도 있고 무시무시한 헤어스타일에 악당처럼 생긴 슬라브인들도 있고 여유 시간이면 선수 천막 바깥 자갈밭에서 2대 2 축구를 하는 멕시코인들도 있다. 모든 선수는 체형이 거의 비슷한데, 다리는 굵은 근육질이고 가슴은 납작하고 목은 가죽만 남았고 한쪽 팔은 평범하지만 다른 쪽 팔은 괴물처럼 굵고 비대하다. 선수들은 선수 천막 안이나 이송용 트레일러 밖에 모여 토너먼트 지정 호텔인 라디송 데 구베르뇌르까지 태워다줄 홍보용 BMW가 오기를 기다린다. 상당수는 예선전을 치르고 있으며 여자 친구를 데리고 다닌다. 흐트러진 듯 아름다운 유럽 여자애들로, 샌들과 기운 청바지와 가죽 배낭 차림인데, 야외용 천 의자를 펼쳐놓고 연습 코트 옆에서 일광욕을 한다.[8] 라디송 데 구베르뇌르에서 선수들이 주로 모이는 로비에는 예선전 대진표가 코르크 게시판에 붙어 있고 다국어를 구사하는 토너먼트 담당 직원이 기다란 책상 뒤에 앉아 있으며 선수들은 젖은 머리카락과 샌들 차림으로 에어컨 바람을 쐬며 여기저기 서서 40여 개 언어로 이야기하면서 경기 결과가 게시판에 붙고 다음 경기 일정이 게시되길 기다린다. 이어폰으로 음악을 듣는 선수가 몇 명 있고 책을 읽는 선수는 한 명도 없다. 다들, 비행기를 타고 호텔 로비에

8　말로 표현할 수는 없지만, 이 여자 친구들은 대부분 엄청난 부자 부모가 있는데 무명의 프로 테니스 선수와 사귀어 부모를 엿 먹이려 하는 듯한 분위기를 풍긴다.

서 대기하면서 오랜 시간을 보내는 사람 특유의 침울한 자폐적 얼굴이다. 표정만 가지고 제 주위에 둘러칠 프라이버시 덮개를 만들어야 하는 사람의 얼굴. 대부분 지독하게 젊거나—투어에 합류하려고 애쓰는 새로운 얼굴—서른을 넘긴 듯 확연히 늙어 보인다. 그을린 피부는 원래 그런 것처럼 보이고 테니스 군소 리그의 도랑에서 세월을 보내느라 얼굴에는 주름살이 팼다.

캐나다 오픈은 세계 랭킹을 계산할 때 가장 비중이 큰 ATP 투어 '슈퍼 9' 토너먼트 중 하나로, 7월 24일 월요일에 공식 개막하며 그 직전 이틀간 열리는 것이 예선전이다. 이것은 기본적으로 '예선 통과자qualifier'에게 배정된 캐나다 오픈 본선 여덟 자리의 주인을 가리기 위한 경기다. 토너먼트에 앞서 치르는 토너먼트라고나 할까. 예선 토너먼트는 거액의 상금이 걸린 각각의 ATP 대회 직전에 열리며, 돈과 명예와 수지맞는 선수 경력은 종종 예선전에서 좌우된다. 전체 토너먼트를 통틀어 최고의 명승부가 펼쳐질 때도 많다. 하지만 여러분은 (예선을 뜻하는 영어 단어) '퀄리스Qualies'를 처음 들어봤을 것이다.

텔레비전에서 방송되는 근사한 결승전과 실제 남자 프로 테니스 투어의 유사성은 레스토랑에서 근사하게 차려내는 등심과 도살장의 유사성에 비길 만하다. 우리가 샘프러스와 애거시의 결승전을 시청할 때마다 그전 일주일 동안 토너먼트가 열려 32명이나 64명, 128명의 선수끼리 피라미드식

승자전single-elimination 전투를 벌여 최후의 2인이 결승에 올라
간다. 이건 이미 알고 있을 것이다. 하지만 여기서 뛰려면 애
초에 토너먼트 참가 자격이 있어야 한다. 참가 자격은 ATP
컴퓨터 랭킹으로 결정된다. 토너먼트마다 컷오프가 있는데,
이것은 본선에 참가할 수 있는 최저 랭킹을 말한다. 이 랭킹
에 못 미치지만 대회에 참가하고 싶은 선수들은 일종의 사
전 토너먼트에서 싸워야 한다. 이것이 예선이 무엇인지 설명
하는 가장 쉬운 방법이다. 현실에서는 사정이 약간 복잡한
데, 그 복잡성을 전달하되 지루하지는 않을 정도로만 자세
히 캐나다 오픈 예선의 진행 절차를 설명해보겠다.

　옴니움 뒤 모리에 리미테Omnium du Maurier Ltée(뒤 모리에 유한
회사 오픈)의 본선 티켓은 64장이다. ATP 랭킹 상위 16명은
'시드'를 받는데, 이 말은 라운드 후반에 도달할 때까지 서로
만나지 않도록 이들을 본선 대진표에 전략적으로 분산한다
는 뜻이다.[9] 시드 중에서 최상위 여덟 명―여기서는 미국의

9　'시딩seeding'(씨앗 뿌리기)이라는 용어는 영국 원예학에서 왔으며 매우 직설적
이다. 통계적으로 볼 때, 첫 번째 시드를 받는 선수는 우승하고 두 번째 시드를 받
는 선수는 결승에 진출하고 세 번째와 네 번째 시드를 받는 선수는 준결승에 진출할
것으로 기대된다. 선수가 시드에 걸맞은 성적을 거두면 시드를 정당화했justified his
seed다고 말하는데, 이 용어는 훨씬 풍부한 함축과 뉘앙스를 지닌다. 명사로 쓰인 사
랑love(0점), 간직hold(홀드: 서버 승勝), 결별break(브레이크: 리시버 승), 잘못fault(폴
트: 서브 실수), 허락let(레트: 네트에 닿고 인이 된 서브), 그리고 열기heat(출전권을 놓
고 벌어지는 예선), 달moon(문볼), 볼기 때리기spank(플랫하고 강하게 때리는 그라운
드스트로크), 들어오기coming in(네트에 접근하는 것), 무의식적 플레이playing uncon-
scious 등 경기 테니스는 이런 다의어multisemiotic term로 가득하다.

앤드리 애거시, 피트 샘프러스, 마이클 창, 러시아의 예브게니 카펠니코프, 크로아티아의 고란 이바니셰비치, 남아프리카 공화국의 웨인 퍼레이라, 독일의 미하엘 슈티히, 스위스의 마르크 로세—은 '부전승^{bye}'으로 토너먼트 2회전에 직행한다. 이 말은 본선에 남은 자리가 실제로는 56개라는 뜻이다. 하지만 1995년 캐나다 오픈의 컷오프는 56위가 아니다. 세계 최상위 선수 56명이 전부 이곳에 오지는 않기 때문이다.[10]

---

10 그랜드슬램 네 개를 제외하면 어떤 토너먼트도 최상급 선수들을 모두 불러 모으지 못한다. 물론 모든 토너먼트가 그렇게 하고 싶어 하는 것은 분명한 사실이다. 최상급 선수들이 많이 출전할수록 유료 관중과 언론 노출이 많아져 토너먼트의 자체 수익과 후원사 확보에 유리하기 때문이다. 하지만 세계 20위 안에 랭크된 선수들은 토너먼트 일정을 비교적 여유롭게 잡는 경향이 있는데, 이것은 휴식과 훈련에 시간을 할애하기 위한 것일 뿐 아니라 ATP 랭킹에 영향을 미치지 않는 끝내주게 짭짤한 시범 경기에 참가하기 위해서이기도 하다. (여기서 말하는 '끝내주게 짭짤한'은 최상급 스타의 경우 연간 수백만 달러를 뜻한다.) 토너먼트와 선수의 이해관계가 첨예하게 대립하므로, '선수가 금전적 또는 랭킹 관련 불이익을 받지 않으려면 해마다 참가해야 하는 ATP 토너먼트 횟수'에 대한 카프카적으로 복잡한 규칙들이 있고 선수들이 이 규칙들을 요리조리 피해가며 자신이 원하는 것을 얻어내는 기발한 방법들이 있음은 놀랄 일이 아니다. 이것은 잊어버려도 무방하다. 명심해야 할 것은 마이클 조이스 같은 위치에 있는 선수들의 경우 여유 시간이 훨씬 적은 경향이 있다는 것이다. 이들은 부상이나 탈진으로 두어 주 쉬어야 할 때만 아니라면, 들어갈 수 있는 모든 토너먼트에 비집고 들어가려고 애쓴다. 이들이 기를 쓰고 토너먼트에 참가하는 것은 그래야 하기 때문이다. 이것은 금전적 이유 때문일 뿐 아니라 ATP의 (매우 복잡한) 랭킹 결정 알고리즘이 토너먼트에 최대한 많이 참가하는 선수에게 유리하기 때문이기도 하다. 그건 그렇고 북아메리카 하드 코트 서킷에서 열리는 토너먼트 중 몇 개는 '슈퍼 9'에 속하지만 최상급 선수의 상당수가 이를 건너뛴다. 특히 유럽의 클레이 코트 선수들은 데코터프를 싫어하기에 자기네 여름 클레이 코트 서킷을 고집하는 경향이 있다. 이 서킷은 유럽에서 열리며 규모가 작고 상금이 적은 토너먼트(이를테면 캐나다 오픈과 같은 시기에 열린 네덜란드 오픈에는 올해 세계 상위 20명 중 네 명이 참가했다)로 이루어진다. 하지만 클레이 코트 선수들은 이글거리는 데코터프 코트에서 펼쳐지는 유에스 오픈에서 대가를 치른다.

이곳의 컷오프는 85위다. 그러면 ATP 랭킹이 86위 이하이면 누구나 예선을 거쳐야 할 것 같지만, 여기에도 예외가 있다. 옴니움 뒤 모리에 리미테는 여느 주요 토너먼트와 마찬가지로 본선 진출 '와일드카드'가 다섯 장 있다. 와일드카드란 마감 시한인 6주 전을 넘겨 참가 신청을 했지만 토너먼트에 이로운 상위권 선수(이를테면 세계 랭킹 6위인 이바니셰비치는 악명 높은 늑장꾸러기flakeroo로, 일주일 전까지 참가 신청 하는 것을 '잊어'버려서 마지막 순간에 와일드카드를 받았다)나 랭킹이 85위 이하이지만 '특출난 자격을 갖춘'(이라고 쓰고 '캐나다인'이라고 읽는다—여기서 와일드카드를 받은 나머지 네 명은 전부 캐나다인이고 그중 두 명은 퀘벡인이다) 선수에게 주는 특별 출전권이다.

그나저나 여러분에게 흥미가 있을까 봐 말해두는데, ATP 투어에서 매주 갱신하여 발표하는 이 세계 랭킹은 진정한 최상급 욕실 읽을거리로 손색이 없는 성명학적 난장판이다. 이 글을 쓰는 지금 마헤시 부파티Mahesh Bhupathi는 284위, 루이스 로보Luis Lobo는 411위다. 저기 마르틴 지너Martin Sinner와 지 포르제Guy Forget가 있다. 아돌프 무질Adolf Musil과 조너선 베니슨Jonathan Venison과 하비에르 프라나Javier Frana와 리안더 페이스Leander Paes도 있다. 농담 아니고 치릴 수크Cyril Suk도 있다. 로돌포 라모스-파가니니Rodolfo Ramos-Paganini는 337위, 알렉스 로페스-모론Álex López Morón은 174위다. 길라드 블룸Gilad Bloom은 228위, 졸턴 너지Zoltan Nagy는 414위다. 우도 리글레프스키Udo Riglewski, 루이스 글로리아Louis Gloria, 프란시스코 로이그Francisco

Roig, 알렉산더 므론츠Alexander Mronz처럼 포스트모던 디킨스 소설에 나옴직한 이름도 있다. 세계 29위의 이름은 슬라바 도세델Slava Dosedel이다. 클로드 응고란Claude N'Goran과 신한철(276위이지만 빠르게 떨어지고 있다)과 오라시오 데 라 페냐Horacio de la Peña와 마르쿠스 바르보자Marcus Barbosa와 아모스 만스도르프Amos Mansdorf와 마리아노 오드Mariano Hood도 있다. 안드레스 싱그만Andrés Zingman은 산더르 흐룬Sander Groen보다 두 계단 위다. 호르스트 슈코프Horst Skoff와 크리스 호선스Kris Goossens와 토마스 횕스테트Thomas Hagstedt는 모두 마르틴 춤프트Martin Zumpft보다 상위에 랭크되어 있다. 토너먼트 업계가 명단 갱신을 싫어하는 또 다른 이유는 ATP 언론 담당자가 일일이 돌아다니면서 기자들에게 새로운 이름을 어떻게 표기하고 발음하는지 알려줘야 한다는 것이다.

그래서 더 복잡한 것들은 다 건너뛰고 요점은 캐나다 오픈에서 본선 여덟 자리가 예선 통과자에게 배정되었으며 예선은 누가 그 여덟 자리를 차지할 것인가를 결정하는 토너먼트라는 것이다. 예선 자체는 세계적인 선수 64명이 참가한다. 예선에 참가하기 위한 컷오프는 ATP 랭킹 350위다.[11] 예선은 결승까지 가지 않고 준준결승에서 끝나, 준준결승 진출

---

11 이곳에는 퀄리스 자체를 위한 예선 토너먼트는 없다. 남달리 큰 토너먼트에서는 메타퀄리스를 하는 경우도 있지만. 또한 퀄리스에는 와일드카드 자리가 엄청나게 많은데, 대부분 캐나다 선수에게 돌아간다. 마이클 조이스가 이번 1회전에서 완파하는 대학 선수도 그중 하나다.

자 여덟 명이 캐나다 오픈 1회전 출전권을 받는다.[12] 이 말은 본선 1회전에 진출하려면 이틀 만에 예선 세 경기(64강, 32강, 16강)에서 이겨야 한다는 뜻이다.[13]

예선의 시드 여덟 개는 캐나다 오픈 조직위에서 보기에 준준결승을 통과하여 본선에 진출할 것 같은 여덟 명에게 돌아간다. 이번 주 톱 시드top seed[14]인 리하르트 크라이첵Richard Krajicek[15]은 196센티미터의 네덜란드인으로, 햇볕 아래에서 챙 달린 작은 모자를 쓰고 네트에 받을 돈이라도 있는 듯 돌진하며 대개 미친 두루미처럼 경기한다. 무릎은 양쪽 다 붕대를 감았다. 20위 안에 들어 있기에 몇 년간 예선에서 뛸 필요가 없었지만, 이번 토너먼트에서는 신청 마감 시한을 놓쳤는데 와일드카드가 전부 특출난 자격을 갖춘 캐나다인들에게 돌아갔기에 저지대 국가 특유의 냉담한 활기를 발휘하여

---

12 이들의 자리는 대체로 톱 시드 바로 근처인데, 텔레비전에 방영되는 주요 토너먼트 1회전에서 애거시나 샘프러스가 완전히 듣보잡 선수를 짓밟는 광경을 종종 보게 되는 것이 이 때문이다. 이 선수는 대개 예선 통과자다. 이것은 랭킹이 낮아서 토너먼트 예선에 참가해야 하는 선수가 더는 예선에 참가하지 않아도 될 정도로 랭킹을 끌어올리기가 그토록 힘든 이유 중 하나다. 그는 첫 라운드부터 상위 랭킹 선수를 만나 묵사발이 되는 경우가 비일비재하다.

13 이것은 예선 통과자가 대체로 초반 라운드에서 최상급 선수들에게 완패하는 또 다른 이유다. 예선 통과자는 사흘째 너덧 번째 경기를 치른 반면에 최상급 선수들은 마사지와 창조적 시각화 컨설팅을 하루 이틀 받으면서 1회전을 준비한다. 누가 묻는다면 마이클 조이스는 이 모든 불평등과 불리한 상황을 마치 농부가 궂은 날씨 이야기하듯 이야기할 것이다. 그가 보이는 감정의 결여는 무심한 것이 아니라 심오한 것인 듯하다.

14 토너먼트 경기에서 정상급의 순위에 있는 선수에게 배정하는 시드.(옮긴이)

15 '크라이첵KRY-chek'으로 발음.

연습 삼아 주말 예선에서 뛰기로 마음먹었다. 예선 두 번째 시드인 제이미 모건은 호주 출신의 저니맨journeyman[16]으로, 세계 100위가량이며 지난주 워싱턴에서 열린 레그 메이슨 테니스 클래식 본선 2회전에서 마이클 조이스에게 두 세트 연속 패배를 당한 바 있다. 마이클 조이스는 세 번째 시드다.

85위 컷오프 위에 랭크된 조이스가 왜 캐나다 오픈 예선에 참가해야 하는지 영문을 모르겠다면 눈 딱 감고 복잡한 사정을 하나만 더 헤아려야 한다. 실은 6주 전만 해도 조이스의 랭킹은 컷오프 위가 '아니'었다. 그것은 신청이 마감되고 나서였으며 토너먼트 위원회가 본선 선발자를 정하면서 참고한 것은 이전 랭킹이었다. 조이스의 랭킹은 그해 윔블던에서 마르크 로세(세계 랭킹 11위)를 꺾고 16강에 오르면서 119위에서 80위로 훌쩍 뛰었다. 조이스는 단핵구증에 걸려 봄에 한동안 병석에 누워 있어야 했지만 현재 프로 데뷔 후 최고의 전성기를 누리고 있으며 세계 랭킹은 140위에서 79위로 급상승했다.[17] 하지만 6월 초에는 세계 85위 안에 들지 못했기에 몬트리올에서는 예선에 참가해야 한다. 내가 보기엔 크라이첵과 마찬가지로 캐나다 본선의 와일드카드 넉 장이 85위보다 한참 아래 랭크된 캐나디언들에게 돌아갔다는 사실에 분통을 터뜨릴 법도 하지만 조이스는 평정심을 잃지

---

16   스포츠에서 여러 팀으로 자주 이적하는 선수를 이르는 말.(옮긴이)
17   그의 랭킹은 올여름 안에 62위까지 올라간다.

않는다.[18]

예선전과 프로 테니스의 관계는 프로야구의 트리플에이 리그[19]와 메이저 리그의 관계와 같다. 몬트리올 예선에 참가한 선수 중에 세계적인 테니스 선수가 있는 것은 부인할 수 없지만, 텔레비전 중계와 두둑한 상금이 있는 세계와는 거리가 멀다. 옴니움 뒤 모리에 리미테 본선 1회전에서 탈락하는 선수는 5400달러를, 2회전에서 탈락하는 선수는 1만300달러를 받는다. 몬트리올 예선에서는 2회전에서 탈락하면 560달러를, 1회전에서 탈락하면 아예 한 푼도 못 받는다. 이들이 예선에 참가하려고 이곳까지 수천 킬로미터를 날아오지만 않았다면 그게 뭐 대수냐고 생각할 수도 있겠지만. 게다가 몬트리올에서 먹고 자는 것도 문제다. 토너먼트 측에서 본선 참가자에게는 숙박비와 식비를 제공하지만 예선 참가자는 어림도 없다.[20] 하지만 예선에서 살아남는 여덟 명은 주말 실비를 토너먼트로부터 사후 정산받는다. 그러니 예선에는 꽤 많은 것이 걸려 있다. 어떤 선수들은 말 그대로 밥값을 벌려고, 집이나 다음 예선 장소로 가는 항공료를 벌려고 경

---

18 ATP 투어의 수렁에서 살아남는 데 필요한 재능 중 하나는 감정을 다스리는 재능이다. 조이스는 내가 분을 참기 힘든 일에도 분통을 터뜨리지 않을 수 있다. 자신이 어찌할 수 없는 부당한 일 때문에 고민해봐야 소용없다고 지적할 때 그의 본뜻은 분통을 터뜨리지 않는 법을 배우지 못하면 투어에 발붙이지 못한다는 것인 듯하다. 많은 최상급 선수들의 괴팍한 행동은—이것은 프로 선수들이 대부분 과민한 악동이라는 왜곡된 통념을 심는다—예선 통과자의 관점에서 쉽게 설명할 수 있다. 최상급 선수들이 괴팍한 것은 그래도 되기 때문이다.

19 마이너 리그 중 최상위 리그.(옮긴이)

기한다.

  마이클 조이스의 선수 경력은 메이저 리그와 트리플에이 리그의 경계선에 있다고 볼 수 있다. 어떤 토너먼트에서는 여전히 예선에 참가해야 하지만, 본선에 직행하는 토너먼트가 점점 많아지고 있다. 예선 통과자에서 본선 참가자로 올라가는 것은 금전적으로나 심리적으로나 대단한 힘이 되

---

20 진짜 최상급 선수들은 비용을 보전받을 뿐 아니라 토너먼트에 참가해주는 것만으로도 대가를 받는다. 이 수수료를 개런티guarantee라 하는데, 엄밀히 말하면 상금의 선금이다. 실제로 애거시·샘프러스·베커는 토너먼트에서 우승하든 못하든 챔피언 상금(대개 20만 달러가량)을 보장받는다. 이 말은 톱 시드 애거시가 캐나다 오픈에서 우승하면 미화 25만4000달러를 받지만 지더라도 그 돈을 가져간다는 뜻이다. (이것은 토너먼트가 이변을 싫어하는 또 다른 이유이며, 일부 예선 통과자들은 경기 일정부터 애매한 라인 판정에 이르는 온갖 미묘한 판단이 스타에게만 유리하다고 불평한다.) 개런티를 주는 토너먼트가 전부는 아니지만—그랜드슬램은 주지 않는데, 윔블던과 프랑스 오픈, 호주 오픈, 유에스 오픈에 참가하는 것은 최상급 선수 자신에게도 이익이 되기 때문이다—대부분이며, 입지를 다지고 명성을 얻지 못한 토너먼트일수록 최상급 선수를 유치하고 관중과 매체를 끌어들이려면—이것이야말로 토너먼트의 명칭 후원사가 간절하게 바라는 것이다—더 많은 개런티를 줘야 한다. 개런티는 한때 ATP 규정에 위배되어 은밀히 진행되었으나, 1990년대 초에 합법화되었다. 테니스 평론가들 사이에서는 개런티 합법화가 자금 흐름을 투명하게 하여 대회에 도움이 되었는지, 아니면 스타와 나머지 모든 선수의 심리적 간극을 넓힘으로써 또한 스타가 무명에게 패하는 이변을 최대한 줄이려고 토너먼트를 더욱 압박함으로써 대회에 해를 끼쳤는지를 놓고 갑론을박이 벌어진다. 개런티가 좋다고 생각하는지 나쁘다고 생각하는지 마이클 조이스에게서 솔직한 대답을 듣기란 불가능하다. 그것은 조이스가 갈피를 못 잡거나 닉슨처럼 능구렁이여서가 아니라 분노나 비통함이나 좌절을 키우는 좋다/나쁘다 관점에서 생각할 여력이 없기 때문이다. 추측건대 그가 이런 감정을 멀리하는 이유는 애거시를 비롯한 선수들을 상대하는 데 걸림돌이 되기 때문이다. 그의 관심사는 거대한 체계에서 무엇이 '옳은가'보다는 다른 선수들을 상대로 자신의 심리적 기회를 극대화하는 데 있다. 완전히 이해할 만하기는 하지만, 자신에게 유익하지 않은 사고방식을 차단하는 조이스의 명백한 능력은 내게 일종의 경외감을 불러일으킨다.

지만, 진짜 명예와 부는 아직도 몇 계단 남았다. 본선 참가 선수 64명 또는 128명조차도 대부분은 텔레비전에 방영되는 결승전에서 보는 스타들을 위한 조연이다. 하지만 슈퍼스타는 이들 중에서 배출된다. 매킨로, 샘프러스, 심지어 애거시도 선수 경력을 시작할 때는 예선에 참가해야 했으며 샘프러스는 1990년대 초에 급성장하여 모든 선수를 물리치기 전까지만 해도 한두 해 동안은 본선 초반에 물을 먹었다.

대다수 본선 참가자는 아직도 베일에 싸여 있다. 일례로 야쿠프 흘라세크Jacob Hlasek[21]가 있다. 그는 체코 출신으로, 내가 스타드 자리에 처음 도착한 이날 아침에 연습 코트에서 스위스의 마르크 로세와 연습하고 있다.[22] 내가 흘라세크와 로세를 눈여겨보고 다가가 구경하는 것은 보기에 무척 아름답기 때문이다. 이 시점에서 나는 그들이 누구인지 전혀 모른다. 나란히 서서 그라운드스트로크groundstroke[23]를 연습하는데—로세는 포핸드, 흘라세크는 백핸드로—공은 다림줄[24]처

---

21 '야코브 홀래시크YAkob hLAsick'로 발음.

22 그곳에서 호텔까지 가는 데는 하세월이 걸렸는데, 언론인의 경우 (약간 수를 쓰면) 선수와 함께 무료 렌터카를 탈 수 있음을—자리가 있으면—그땐 몰랐기 때문이다. 테니스 언론은 분명 그 자체로 특수한 세계여서 무료 렌터카, 레스토랑 예약 시 브이아이피 대우, 심지어 호텔의 무료 세탁 서비스 등 토너먼트에서 제공되는 서비스를 얻어내는 방법을 속속들이 알아내려면 시간이 좀 걸린다. 나는 대부분의 방법을 집에 올 때가 다 돼서야 터득했다.

23 테니스에서 상대편이 친 공이 한 번 땅에 튄 다음에 그 공을 받아치는 일.(옮긴이)

24 다림을 볼 때 쓰는 줄. 수직을 살펴보기 위하여 추를 달아 늘어뜨린다.(옮긴이)

럼 곧게 뻗어 구석에서 몇 센티미터 안에 떨어지고 선수들
은 간결하고 편안하게 움직인다. 그 뒤로 프로들이 연습하는
것을 볼 때마다 같은 광경을 목격했는데, 그것은 마치 초강
력 엔진이 저단으로 돌아가는 것 같았다. 야쿠프 흘라세크는
188센티미터로, 하프백halfback[25]을 연상시키는 체구에 금발을
짧고 각진 동유럽 스타일로 잘랐으며 눈빛이 싸늘하고 광대
뼈가 불거졌다. 나치 남성 모델이나 지옥의 인명 구조원처럼
생겼으며 전반적으로 말을 붙이기에는 너무 무시무시해 보
인다. 렌들처럼 한 손 백핸드를 구사하며, 그가 연습하는 것
을 보고 있으면 위대한 미술가가 대수롭지 않게 스케치하는
모습이 떠오른다. 눈 깜박이는 것을 잊어버릴 정도다. 누군
가가 위대한 선수임을 알아보게 하는 것은 사소한 몸짓, 라
켓 머리로 공을 받아 튀기는 방식, 공을 기다리면서 라켓을
빙글빙글 돌리는 무심한 습관 같은 오만 가지 자잘한 특징
이다. 흘라세크는 민무늬 회색 티셔츠를 입고 새하얀 유럽풍
신발을 신었다. 오전도 무르익어 이미 기온이 32도를 넘었는
데도 그는 땀을 흘리지 않는다. 흘라세크는 1982년에 프로
로 전향하여 6년 뒤 한 해 동안 10위 안에 들었다가 그 뒤로
는 60위대와 70위대에 랭크되었는데, 모든 주요 토너먼트의
본선에 직행했다가 대개는 1~2회전에 탈락했다. 흘라세크의
연습 장면을 지켜보고 있자니 이 프로들이 얼마나 훌륭한지

---

25 축구나 하키 따위에서 전위前衛의 뒤쪽 위치. 또는 그 위치에 있는 선수.(옮긴이)

처음으로 실감한다. 그냥 빈둥거리고만 있어도 이제껏 본 테니스 선수 중에서 가장 인상적이다.[26] 이 글을 읽는 독자 중에 야쿠프 홀라세크라는 이름을 들어본 사람은 아무도 없을 것이다. 그랜드슬램 결승전과 세계 5대 선수에 집착하는 왜곡된 텔레비전 기준에 따르면 홀라세크는 일개 들러리에 불과하다. 하지만 지난해 투어에서 (시범 경기와 보증 광고 계약을 제외하고 상금으로만) 30만 달러를 벌었으며 통산 상금은 미화 400만 달러를 웃돈다. 오래전부터 그가 주로 머무는 곳은 많은 유럽 선수들이 세금을 회피할 속셈으로 선택하는 몬테카를로다.

마이클 조이스는 ATP 선수 안내서에는 180센티미터에 75킬로그램으로 나와 있지만 실제로 보면 175센티미터에 가까워 보인다. 스타디움 코트에서 그는 탄탄하고 다부진 모습이다. 그를 가장 간단하게 묘사하는 방법은 젊고 살짝 강건한 데이비드 카루소[27]를 닮았다고 말하는 것이다. 조이스는 피부가 희고 머리카락이 불그스름하며 얼굴에 진짜 털을 기르지 못하는 사람처럼 듬성듬성하고 어딘지 거짓 같은 염

---

26 조이스는 더욱 인상적이지만, 그때까지는 아직 조이스를 본 적이 없었다. 그리고 엔크비스트는 조이스보다 더욱 인상적이며 애거시는 엔크비스트보다도 더더욱 인상적이다. 일주일을 보내고 나자, 찰턴 헤스턴이 시나이산에서 내려올 때 왜 우울하고 찌들어 보이는지 진정으로 이해한다. 어느 지점을 넘어서면, 인상적인 모습은 정신을 좀먹는다.

27 미국의 연기자로 드라마 〈CSI: 마이애미〉의 호레이쇼 케인 역으로 유명하다.(옮긴이)

소수염을 길렀다. 땡볕에서 경기할 때면 모자를 쓴다.[28] 필라 의류를 입고 요넥스 라켓을 쓰는데, 그 대가를 받는다. 얼굴은 아이처럼 통통하며, 주근깨는 없지만 어쩐지 주근깨가 있어야만 할 것처럼 보인다. 많은 프로 테니스 선수가 인명 구조원처럼 생겼지만—살갗이 햇볕에 피하층까지 타서 무덤에 갈 때까지 바래지 않을 것만 같다—조이스의 흰 피부는 까맣게 타지도, 심지어 일광 화상을 입지도 않는다. 경기할 때면 용을 쓰느라 얼굴이 붉어지기는 하지만.[29] 코트 위에서 그의 표정은 불쾌하지 않게 엄숙한데—이는 코트 위에서 자신의 주의가 매우 협소하고 집중적이고 격렬하다는 인상을 풍긴다—이것은 (이를테면) 수술 중인 의사와 작업 중인 보석 세공인에게서 볼 수 있는 유쾌한 엄숙함과 같다. 스타디움 코트에서 조이스는 어려 보이면서도 지극히 어른스러워 보인다. 캐나다인 상대 선수가 전형적 테니스 선수의 매끈한

---

28 하루 두 번의 한 시간짜리 연습 시간에 그는 모자를 거꾸로 쓰며 또한 누가 봐도 반바지 수영복처럼 생긴 펑퍼짐한 플래드plaid(바둑판처럼 가로세로를 일정한 간격으로 직각이 되게 만든 무늬. 또는 그런 무늬로 된 천_옮긴이) 반바지를 입는다. 좋아하는 연습용 티셔츠에는 '두려움은 꿈의 적FEAR: THE ENEMY OF DREAMS'이라는 문구가 가슴에 박혀 있다. 그는 연습할 때 많이 웃는다. 그가 연습하는 광경을 보기만 해도 그가 머리끝부터 발끝까지 호감형이고 서글서글하다는 것을 알 수 있다.

29 테니스를 가벼운 취미로만 쳐본 사람이라면 본격적으로 테니스를 치는 게 육체적으로 얼마나 고된지 실감하기 힘들 것이다. 이 프로들이 상대 선수를 8.23미터의 베이스라인 끝에서 끝까지 왔다 갔다 하도록 할 수 있고 범실을 저질러 포인트를 일찍 마무리하는 경우가 거의 없음을 이해한다면 상상력이 자극될지도 모르겠다. 막상막하의 5전 3선승제 경기는 운동 강도 면에서 농구를 두 시간 하는 것과 맞먹을 텐데, 여기서 말하는 농구는 풀코트 농구다.

선택, 자유, 제약, 기쁨, 기괴함, 인간적 완벽함에 대한
어떤 본보기로서 테니스 선수 마이클 조이스의 전문가적 기예

용모와 펩소던트Pepsodent[30] 미소를 가진 데 반해 경기 중의 조이스는 지독하게도 '진짜'처럼 보인다. 그는 셔츠에 땀이 배고[31] 얼굴이 상기되고 긴 포인트 뒤에 씩씩거리며 숨을 쉰다. 양쪽 발목에 작은 신축성 아대를 차고 있는데, 나중에 알고 보니 발목을 보호하기 위한 것이었다.

지금은 오후 1시 30분이다. 조이스가 브래커스의 서브

---

30 미국의 미백 치약.(옮긴이)

31 이 또한 텔레비전에서 실감하기 힘든 것 중 하나다. 테니스는 땀을 엄청나게 흘리는 운동이다. 〈ESPN〉이든 어떤 채널에서든 선수가 포인트 마치고 볼보이에게 걸어가 수건을 달래서는 재빨리 팔과 손을 닦고 젖은 수건을 (불운한) 볼보이에게 던지는 장면이 나오면 그것은 시간을 끌거나 생각할 시간을 벌기 위해서가 아니다. 선수의 팔 안쪽으로 땀이 엄청나게 흘러내려 손이 온통 젖어서 라켓이 미끌미끌해지기 때문이다. 특히 북아메리카의 이글거리는 여름 투어에서는 일찌감치 셔츠에 땀이 배는데, 바지에까지 밸 때도 있다. 샘프러스가 늘 입는 담청색 반바지는 국부 보호대를 제외하면 모든 곳에서 땀이 스며 나와서, 오줌싸개처럼 우스꽝스럽고 어딘지 사랑스러워 보인다. 샘프러스는 코트 위에서 직접 보면 놀랄 만큼 천진하고 귀엽다. 반면에 애거시는 귀엽기로 말할 것 같으면 포트 오소리티Port Authority(뉴욕 맨해튼의 버스 터미널_옮긴이)의 창녀 같다. 선수들은 물을 엄청나게, 무지막지하게 많이 마신다. 경기를 관전하는데, 선수들이 코트를 두 번째 바꿀 때마다 반 리터짜리 홀쭉한 에비앙 생수를 비워대는 광경은 보면서도 믿기지 않았다. 그런데 마이클 조이스 말로는 정말이라고 한다. 프로급 테니스 선수들은 물을 빠르게 흡수하여 땀으로 전환하는 대사 체계를 진화시켰나 보다. 나 자신은—프로급은 아니지만 돼지처럼 땀을 흘리는데—경기하기 두어 시간 전에 물을 많이 마시지만 경기 중에는 하나도 안 마신다. 이것은 물을 두어 모금 삼키면 더 마시고 싶어지기 때문이다. 마시고 싶은 만큼 마시면 배가 볼록 나오고 뛸 때 출렁거리는 소리가 날 것이다. (그나저나 내가 이야기해본 선수들은 대부분 게토레이와 올스포트All-Sport와 부스트Boost를 비롯한 온갖 값비싼 전해질 스포츠 음료가 대개 헛짓이라고 단언한다. 소금과 탄수화물을 테이블에 올려두고 작은 호수 분량의 H_2O를 매일 마시면 충분하다는 것이다. 여기에 동의하지 않는 선수들은 알고 보니 값비싼 스포츠 음료 제조업체와 보증 광고 계약을 맺은 사람들이었는데, 병에 든 값비싼 전해질 내용물을 쏟아 버리고 시합을 위해 맹물을 채우는 선수를 개인적으로 적어도 한 명 봤다.)

게임을 브레이크break[32]했고 1세트를 3대 1로 이기고 있으며 리시브하는 중이다. 브래커스는 보증 광고 계약을 못 딴 듯 여러 브랜드가 덕지덕지 붙은 옷을 입고 있다. 183센티미터를 훌쩍 넘는 키에, 여느 덩치 큰 남자 대학 선수와 마찬가지로 서브를 중심으로 경기를 이끌어 간다.[33] 0-15에서 그의 첫 서브는 시속 190킬로미터의 플랫flat[34]으로 조이스의 백핸드로 날아간다. 그는 양손 백핸드여서 효과적으로 다리를 뻗기 힘든데도 꽤 효과적으로 다리를 뻗어 캐나다인의 이마를 향해 다운더라인으로 코트 깊숙이 공을 보내는데 하도 플랫한 구속球速이어서 브래커스는 잠시 머뭇거리다 백 페달을 밟아 자리를 잡고는—그가 평소에 상대한 선수들은 시속 190킬로미터의 절묘한 서브에 영락없이 에이스ace[35]를 내주거나 적어도 리턴이 약해서 그가 쉽게 전진하여 공을 멀찍 감치 보낼 수 있었을 것이다—톱스핀을 먹여 네트 위로 높이 둥글게 업더라인up the line[36]으로 공을 돌려보내는데, 리턴의 세기를 감안하면 그렇게 나쁜 샷은 아니고 대다수 테니

---

32 상대가 서브하는 게임에서 승리하는 것.(옮긴이)

33 키가 클수록 더 강하게 서브할 수 있지만—각도기를 대고 그려보라—몸을 구부리거나 방향을 바꾸기가 힘들어진다. 장신은 서브 앤드 발리를 주무기로 삼는데, 이들은 서브에 살고 죽는다. 빌 틸던, 스탠 스미스, 아서 애시, 로스코 태너, 고란 이바니셰비치 등이 모두 서브 위주로 경기하는 장신 선수(였)다.

34 공에 스핀을 넣지 않은 서브.(옮긴이)

35 배구·테니스·탁구 따위에서 서브한 공을 상대편이 받지 못하여 득점하는 일.(옮긴이)

36 '다운더라인'에 빗댄 표현.(옮긴이)

스 선수를 수세에 몰 만한 톱스핀 샷이지만, 톱스핀 먹인 공을 사정권 안에 넣고 온더라이즈on the rise[37]로 때릴 정도의 테니스 실력을 지닌[38] 마이클 조이스는 공에 다가붙어 온더라이즈에서 현존하는 누구도 받아 칠 수 없는 예리한 각도로 백핸드 크로스를 때린다. 이것이 조이스와 브래커스의 전형적인 포인트다. 이 경기는 유난히 수준 높은 일종의 학살이다. 엄청나게 크고 힘센 포식자가 그보다 더 크고 힘센 포식자에게 갈기갈기 찢기는 광경을 보는 듯하다. 브래커스는 조이스에게 지고 나서 똥 씹은 표정으로 자신을 질책하듯 중얼거리지만 분노는 일종의 겉치레다. 세계 랭킹 79위 선수와의 격차를 감안하면 브래커스가 이보다 훨씬 잘했을 가능성은 희박하다.

마이클 조이스는—그의 현실감각과 만만함과 솔직함은 내가 그를 지켜보고 그와 이야기를 나누는 데 가장 많은 시간을 보내게 되는 주된 이유다—몬트리올 예선에서 등외의 캐나다 선수들이 와일드카드를 지나치게 많이 받은 것 같다는 나의 공평무사한 관찰에 훗날 이렇게 대답한다. "브래커

---

37 그라운드스트로크가 바운스되었다가 정점에 도달하기 전에 치는 것.(옮긴이)

38 세계 때린 공을 이렇게 공략하는 것은 상상을 초월하게 힘들다. 여러분이 리틀리그Little League(9~12세의 소년이 출전하는 야구 리그_옮긴이)에서 뛰었거나 동네야구를 해봤거나 했다면 이제껏 경험한 것 중에서 가장 세게 친 땅볼이 유격수 자리로 날아오는데 여러분이 공을 잡으려고 가만히 서서 기다리는 게 아니라 실제로 여러분의 자유의지로 땅볼을 '향해' 달려가 단순히 크고 말랑말랑한 글러브로 잡는 게 아니라 힘껏 때려서 방향을 바꿔 오싹할 만큼 정확하고 먼 곳으로 보내야 한다고 상상해보라.

스는 서브가 좋았지만, 프로 코트에서 뛸 수준은 아니었죠."
쌀쌀맞게 답하려는 의도는 아니었다. 다정하게 답하려는 의
도도 아니었지만. 알고 보니 마이클 조이스가 하는 말에는
의뭉스럽거나 비뚤어진 구석이 전혀 없다. 그는 대체로 카메
라처럼 자신이 본 것을 그대로 전달한다. 그를 진실하다고
말할 수도 없다. 성실하거나 불성실하려고 '애쓴'다는 생각
자체가 그에겐 없어 보이기 때문이다. 한동안 조이스의 담백
한 솔직함이 그다지 똑똑하지 못한 탓이라고 생각했다. 조
이스가 대학에 가지 않았고 고등학교 시절에 학업을 소홀히
했다는 정보도 이런 판단에 한몫했다(내가 이 정보를 아는 것
은 그가 그 자리에서 알려줬기 때문이다).[39] 토너먼트가 진행되면

---

[39] 테니스 전문가들의 또 다른 열띤 논쟁거리는 선수들이 점점 어린 나이에 프로
에 입문하여 대학과 대학 테니스를 건너뛰고 투어의 스트레스와 고독한 여행에 곧
장 뛰어드는 추세다. 마이클 조이스가 대학을 건너뛰고 프로 투어로 직행한 것은 열
여덟 살에 미국 전국 주니어 대회에서 우승하여 프로 전향의 유혹을 엄청나게 받았
기 때문이다. 전국 18세 이하 단식 우승자는 자동으로 그해 유에스 오픈 본선 와일
드카드를 받는다. 게다가 매년 최고의 주니어 선수는 주요 의류 및 라켓 회사로부터
지대한 하지만 지독히 변덕스럽고 일시적인 주목을 받는다. 조이스가 1991년 미시
간주 캘러머주에서 128명이 참가한 전국 대회를 석권하자 필라와 요넥스에서 10만
달러가량의 보증 광고를 제안했다. 10만 달러면 많은 상금을 기대할 수 없는 어린 선
수가 3년간 투어를 다닐 수 있는 금액이다. 조이스는 3년치 보조금 제안을 거절하
고 대학에 갈 수도 있었지만, 대학에 갔더라도 그것은 주로 테니스를 치기 위해서였
을 것이다. 주요 대학의 코치들이 조이스에게 제시한 특전은 분명 그야말로 터무니
없고 믿을 수 없을 정도였으므로, 설령 조이스가 그러지 말라고 요청하지 않았더라
도 여기서 반복하지는 않겠다. 마이클 조이스가 대학에 갔다면 주로 테니스를 치기
위해서였으리라고 말한 이유는 대학 생활의 학문적·사교적 측면에 대한 그의 관심
이 외국어로 고함치는 코치 앞에서 포핸드 크로스를 2500번 때리는 것에 대한 여러
분의 관심과 맞먹기 때문이다. 마이클 조이스는 테니스를 사랑하고 테니스를 위해
살며 마이클 조이스가 테니스다. 그는 누구에게도 다르게 말할 이유를 찾지 못한다.

서 알게 된 사실은 내가 일종의 속물이면서 개자식일 수 있겠다는 것과 마이클 조이스의 무심한 솔직함이 멍청함의 표

테니스는 그가 전념한 유일한 것이며, 그는 자신의 막대한 부분을 테니스에 바쳤다. 그가 이해하는 한 테니스는 그의 전부다. 하지만 그가 두 살에 라켓을 잡고 일곱 살에 경기를 시작했으며 그의 선수 생활 첫 6년을 이끈 것은 아버지의 '강압'과 그 자신의 '열광'이었기 때문에—조이스의 추산에 따르면 아버지는 마이클의 주니어 시절에 레슨과 코트 사용료와 장비와 여비로 약 25만 달러를 썼다고 한다—테니스에 전념하는 것이 얼마나 자신의 '선택'인지 조이스에게 묻는 것은 타당해 보였다. 선택에 필요한 자원과 정보가 내 것이 아닌 나이에 무언가에 강압적이고 열광적으로 몰입한다면 그것을 선택이라고 부를 수 있을까? 이런 취지의 취조에 대한 조이스의 대답은 불만족스러우면서도 경이롭다. 물론 이 물음은 대답할 수 없는 물음이다. 적어도 이미 선택한—자신이 이해하는 한—사람이 답할 수 있는 물음은 아니다. 조이스의 대답은 테니스를 본격적으로 치기로 자신이 애초에 선택했는가는 사실 중요하지 않다는 것이다. 자신이 아는 것은 테니스를 사랑한다는 것뿐이라며, 그는 1991년 전국 대회에서의 느낌을 설명하려고 시도한다. "대회장에 가서 본선 진출 명단을 봐요. 128명이 있어요. 저 많은 사람들을 물리쳐야 하는 거예요. 그런데 다 끝나고 제가 우승한 거예요. 전국 챔피언이 된 거죠. 이건 무엇에도 비길 수 없는 경험이에요. 말하는 것만으로도 전율이 느껴진다고요." 지난주 워싱턴에서의 경험에 대해서는 이렇게 말했다. "저는 애거시와 경기를 해요. 대단한 테니스죠. 팬 수천 명이 열광해요. 그 감정을 형언할 수 없어요. 어디서 이런 경험을 할 수 있겠어요?" 그가 목소리를 높이는 것은 이해할 만하지만, 경이로운 부분은 따로 있다. 경이로운 부분은 테니스가 자신에게 어떤 의미인지 이야기할 때 그의 얼굴에 떠오르는 표정이다. 그는 테니스를 사랑한다. 말할 때 얼굴에서 알 수 있다. 그의 눈은 평상시에는 아일랜드인에게서 흔히 볼 수 있는 약한 눈꺼풀코주름epicanthic fold(내안각을 가로질러 윗눈꺼풀이 안쪽으로 접혀진 것. 아시아 지역 인종의 특징이며 인디언이나 스칸디나비아인, 폴란드인과 같은 일부 유럽 인종에서도 볼 수 있다_옮긴이) 때문에 아시아인 같은 형태이지만, 테니스와 선수 생활에 대해 이야기할 때면 눈이 동그래지고 동공이 팽창한다. 그의 눈에 담긴 표정은 사랑의 표정이다. 이 사랑은 일이나 연인처럼 대다수 사람이 사랑한다고 말하는 '강렬함의 장소locus of intensity'에 대한 사랑이 아니다. 그것은 어마어마하게 오랫동안 행복한 결혼 생활을 한 노부부의 눈에서나 신앙심이 하도 깊어서 평생을 종교에 헌신한 종교인에게서 보는 사랑이다. 이 사랑을 측정하는 잣대는 무엇을 대가로 치렀는가, 무엇을 포기했는가다. '선택'이 결부되었건 아니건 어느 시점이 되면 아무 상관도 없다. … 선택과 자아를 포기하는 것이야말로 애초에 그 사랑을 특징짓는 요소이기 때문이다.

출이 아니라 다른 무언가의 표출이라는 것이다.

　지난 10년간 라켓 기술과 체력 단련 기법이 발전하면서 남자 프로 테니스는 극적인 변화를 겪었다. 20세기 대부분의 기간 동안 최고 수준의 경기는 기본적으로 두 가지 스타일이었다. '공격형offensive[40]' 스타일은 서브와 네트 플레이를 기반으로 삼으며 유리나 시멘트 같은 매끄러운('빠른') 표면에 이상적이다. '수비형defensive' 또는 '베이스라인' 스타일은 발의 빠르기, 지구력, 서브 앤 발리를 구사하는 선수에게 효과적인 패싱샷passing shot[41]을 때릴 만큼 정확한 그라운드스트로크를 토대로 삼으며 클레이나 하트루 복합 재료composite[42] 같은 '느린' 표면에서 가장 효과적이다. 존 매킨로와 비에른 보리는 각각 공격형과 수비형을 대표하는 현대의 가장 위대한 선수일 것이다.

　요즘은 제3의 스타일이 있는데, 보통 '파워 베이스라인' 스타일이라고 부른다. 내가 판단컨대 지미 코너스[43]가 1970년대에 파워 베이스라인 스타일을 창시하다시피 했으며 1980년대에 이반 렌들이 이를 무지막지한 기술로 승화시켰다. 1990년대에는 ATP 투어의 젊은 선수 대다수가 파워 베

40　'서브 앤드 발리'라고도 한다.

41　테니스에서 네트 가까이 있거나 네트 쪽으로 다가오는 상대편 선수가 미치지 못하는 방향으로 공을 쳐 보내는 일.(옮긴이)

42　두 종류 이상의 소재를 복합화한 후에 물리적·화학적으로 각각의 소재가 원래의 상을 유지하면서 원래의 소재보다 우수한 성능을 갖도록 한 재료.(옮긴이)

이스라인 스타일이다. 이 스타일의 주춧돌은 그라운드스트로크이지만, 어찌나 세게 때려내는지 베이스라인에서 위너 winner[44]를 치는 경우가 허다하다.[45] 파워 베이스라이너의 네트 플레이는 대체로 탄탄하지만 감흥이 없는데, 그보다는 어프로치샷에서 위너를 치는 데 더 뛰어나며 발리를 할 필요는 전혀 없다. 서브는 뛰어나고 당연히 위력이 있으나 파워 베이스라이너의 플레이에서 정말로 인상적인 부분은 대개 서브 리턴이다.[46] 그는 일반적으로 엄청난 반사 신경을 발휘하며 리턴에서 냅다 위너를 때려낼 수 있다. 파워 베이스라이너의

---

43 여러분이 알는지 모르겠지만 코너스는 테니스 역사상 가장 별난 경기를 한 사람이다. 그는 네트에 돌진하는 일이 거의 없는 공격형 '파워' 플레이어였고 그의 서브는 외배엽형ectomorphic(마른 체형을 뜻한다_옮긴이) 여성의 서브였으며 모든 공을 스핀 하나 없이 플랫하게 때렸다(이것은 그라운드스트로크에는 바람직하지 않다. 스핀이 없으면 공을 컨트롤하기가 무척 힘들기 때문이다). 그의 플레이는 더더욱 이상했다. 그가 베이스라인에서 모든 화력을 끌어내는 데 쓰는 라켓은 윌슨Wilson T2000으로, 지금껏 제작된 것 중에서 단연 개똥 같은 괴상한 철제 라켓이자 대다수 선수급 테니스인이 보기에 가정용 방어 무기로나 뒤뜰에서 큰 돌을 뽑아낼 때나 요긴하다는 평가를 받는다. 코너스는 이 라켓에 중독되었으며, 심지어 윌슨에서 생산을 중단한 뒤에도 수백만 달러의 잠재적 보증 광고 수익을 박탈당하면서까지 이 라켓만 썼다. 코너스는 그 밖의 여러 면에서도 괴팍했(고 어딘지 혐오스러웠)으나, 전부 이 글과는 무관하다.

44 상대의 범실이 아니라 자신의 절묘한 샷으로 포인트를 따내는 것.(옮긴이)

45 몸통이 넓은 세라믹 라켓과 과학적 근력 훈련이 등장하기 오래전에는 위너를 때려내는 방법이 발리—네트와의 거리를 줄이면 각도를 부쩍 키울 수 있었다(각도기를 꺼내서 확인해보시라)—와 수비형 패싱샷 … 즉, 권투의 전술 용어로 하자면 '펀치'와 '카운터펀치' 두 가지뿐이었다. 이에 반해 새로운 파워 베이스라인 플레이에서는 선수가 구석에 처박혀 온갖 방법으로 상대에게 펀치를 날릴 수 있다. 파워 베이스라인 플레이는 그야말로 모든 것을 바꿨으며, 이 변화의 해석 기하학은 여러분이 평생 처러본 것 중에서 최악의 미적분학 시험처럼 생겼을 것이다.

플레이에는 공격형의 힘과 공세, 수비형의 빠르기와 계산된 인내심이 둘 다 필요하다. 매끄러운 잔디와 느린 클레이 모두에 알맞지만, 안성맞춤인 표면은 데코터프DecoTurf[47], 즉 유에스 오픈과 (캐나다 오픈을 비롯하여, 유에스 오픈으로 이어지는) 북아메리카의 모든 불볕 토너먼트에서 쓰이고 있는 느리고 거친 하드 코트 표면이다.

보리스 베커와 스테판 에드베리는 고전적인 공격형의 현대판 사례다. 서브 앤드 발리를 구사하는 선수는 키가 큰 경우가 많으며[48] 피트 샘프러스와 토드 마틴과 데이비드 휘턴 같은 장신의 미국인도 공격형 선수다. 마이클 창은 순수 수비형의 대표 격으로, 마츠 빌란데르, 카를로스 코스타를 비롯하여 투어의 많은 서유럽인과 남아메리카인이 여기에 속한다. 이들 상당수는 성장하면서 클레이 코트만 경험했으며 지금은 해외 클레이 코트 서킷에 주로 참가한다. 짐 쿠리어, 지미 애리어스, 에런 크릭스틴 같은 미국인은 모두 파워 베

---

46 파워 베이스라이너가 있는 경기에서는 세트 중에 '서브를 브레이크'하는 것의 중요성이 훨씬 낮은데, 그 이유가 바로 이것이다. 나이 든 선수와 팬 중에서 이젠 프로 테니스를 별로 안 보는 사람이 많은 이유이기도 하다. 자신들이 경기하던 때에 비해 경기의 구조적 전술이 완전히 달라진 것이다.

47 Wichita KS's Koch Materials Company, "아스팔트 에멀션 기술의 선두 주자."

48 존 매킨로는 그리 크지 않았으며 (논란의 여지가 있지만) 시대를 통틀어 최고의 서브 앤드 발리 선수였지만 예측을 위한 어떤 규범에도 예외였다. 전성기(말하자면 1980년부터 1984년까지)의 매킨로는 이제껏 살았던 테니스 선수 중에 가장 위대한 선수였다. 가장 유능하고 가장 아름답고 가장 고통받은, 천재였다. 텔레비전에서 매킨로가 폴리에스테르 블레이저 차림으로 어색하고 진부하게 해설하는 것을 보고 있으면 포크너가 갭Gap 광고 하는 것을 보는 심정이다.

이스라인 플레이를 한다. 투어에 참가한 젊은 신예 남자 선수도 하나같이 파워 베이스라이너다. 하지만 렌들 이후 이 스타일의 가장 유명하고 효과적인 화신은 앤드리 애거시로, 그는 1995년 여름 서킷에서 말 그대로 모두의 엉덩이를 걷어 찬다.[49]

마이클 조이스의 스타일은 애거시 형태의 파워 베이스 라인이다. 조이스는 단신에 오른손잡이이며 양손 백핸드, 베이스라인 공격을 준비하기에 딱 좋은 서브, 게임의 핵심인 훌륭한 서브 리턴을 갖췄다. 애거시처럼 조이스도 공을 온더라이즈에서 일찌감치 때리기 때문에, 좀처럼 네트 가까이 오지 않는데도 늘 코트에서 전진하는 것처럼 보인다. 조이스의 첫 서브는 시속 약 153킬로미터이고[50] 두 번째 서브는 120대 아래쪽이지만, 스핀을 하도 먹여서 공이 공중에서 기묘한 형태로 일그러졌다가 (1회전에서 만난) 캐나다인의 백핸드 쪽으로 높고 깊숙이 튕긴다. 브래커스가 공을 향해 몸을 뻗어 슬

---

49 왜 요즘 들어 남자 테니스에 대한 대중의 관심이 시들해졌는가에 대한 한 가지 답은 투어를 제패한 파워 베이스라인 스타일의 본질적이고도 볼썽사나운 '흉악함'이다. 기회가 된다면 애거시를 가까이서 보라. 그는 체구가 아주 작은 선수로서는 아주 위대하지만, 기량이 놀랍도록 부족하다. 그의 움직임은 운동선수라기보다는 헤비메탈 음악인에 가까워 보인다. 공교롭게도 파워 베이스라인 플레이는 메탈이나 그런지Grunge(너바나와 펄 잼 같은 음울하고 어두운 기타 밴드를 묘사하는 말_옮긴이)에 비교되었다. 하지만 최상급 파워 베이스라이너가 정말로 닮은 것은 옛 소련이 봉기를 진압하는 영상이다. 자신의 힘을 흥미롭게도 따분하고 공허하게 휘두르는 지루하고도 정체불명의 성질은 굉장하지만 잔혹하게 굉장하다.

50 이바니셰비치의 시속 209킬로미터, 샘프러스의 시속 201킬로미터, 심지어 애송이 브래커스의 시속 190킬로미터와 비교해보라.

라이스 리턴을 떠운다. 서브 앤 발리 선수라면 네트로 쇄도하여 착지 전에 처리할 법한 약한 리턴이다. 조이스는 전진하지 않고 자신의 서비스라인 바로 근처 미드코트에 머물러 있으면서 뜬 공이 땅에 닿아 완전히 튕겨 오르게 내버려두고는 포핸드를 감았다가 듀스 코너deuce corner[51]로 크로스 위너를 때리는데 무척 플랫하고 세서 공이 브래커스의 코트 끝 뒤쪽의 진홍색 타프에 맞는 소리가 확실히 들린다. 볼보이가 공을 향해 달려갔다가 복잡한 동작으로 제자리를 잡는 동안 조이스는 걸어 돌아가 또 한 번의 서브 포인트를 기록한다. 적은 관중의 박수갈채는 어찌나 작고 구슬프고 초라한지 차라리 박수를 치지 말았으면 싶을 정도다.

렌들과 애거시와 쿠리어를 비롯한 많은 파워 베이스라이너와 마찬가지로 조이스의 샷 중에서 가장 센 것은 포핸드로, 바그너를 연상시키는 공격성과 힘을 가진 무기다. 조이스의 포핸드는 유난히 보기 좋다. 렌들의 포핸드나 보리의 크게 휘두르는 루프 스윙swooping loop[52]보다는 간결하고 교과서적이다. 장식 면에서 보자면 백스윙의 작고 화려한 루프가 전부다.[53] 스트로크 자체는 완전히 수평이어서, 조이스는 공을

---

51 선수 관점에서 자신의 코트 오른쪽. 왼쪽은 애드 코너ad corner라 한다.(옮긴이)

52 백스윙에서 포워드 스윙까지 고리 모양을 이루는 스윙.(옮긴이)

53 프로의 백스윙이 그리는 루프는 탁월함과 의식의 상표격인 장식으로, 5성급 주방장이 본 요리를 내놓을 때 손끝에 재빨리 입맞춤하거나 마술사가 관객의 눈길을 사라진 조수에게 돌리려 허공에서 손으로 머리카락 꼬는 시늉을 하는 것과 다르지 않다.

끝까지 자기 앞에 두고 때려낸다. 여느 위대한 선수와 마찬가지로, 공이 날아올 때 조이스의 측면은 확연히 네트를 향하고 있어서 자세가 고전 콘트라포스토contrapposto[54]를 이룬다.

조이스는 포핸드로 테니스공을 때릴 때 몸 뒤로 무언가를 뿌리듯 왼손을 펴는데, 이것은 스트로크의 역학과 아무 상관이 없는 군더더기다. 마이클 조이스는 포핸드의 임팩트impact[55]에 자신의 왼손이 펴진다는 사실을 모른다. 이것은 그의 어린 시절에 시작되었으며 이제는 스트로크에 정교하게 접목되어 (오랫동안 누구도 셀 수 없을 만큼 수많은 포핸드를 때린) 스물두 살의 조이스에게는 무의식이 되어버린 일종의 심미적 틱이다.[56]

---

54 고대 그리스인들이 창안한 것으로, 인물상이 몸무게를 한쪽 다리에 싣고 다른 쪽 다리는 무릎을 약간 구부리고 있는 자연스러운 자세.(옮긴이)

55 테니스나 배드민턴 따위에서 라켓으로 공이나 셔틀콕을 맞추는 순간.(옮긴이)

56 모든 선수는 이런 사소한 틱을 장식적 지문으로 가지고 있으며 프로들은 다년간의 반복과 체득으로 인해 그 정도가 더욱 심하다. 프로의 틱을 관찰하고 분류하는 일은, (이를테면) 서브만 놓고 보더라도 늘 즐겁다. 샘프러스가 토스할 때 마치 왼발 발가락이 갑자기 뜨거워진 듯 앞발을 뒤꿈치부터 올리는 것을 보라. 제럴라이티스는 토스 전에 공을 튀길 때 마치 살짝 발작하는 듯 투렛 증후군 환자처럼 기묘하게 머리를 좌우로 휙휙 흔든다. 팔을 뻣뻣하게 벌린 매킨로의 이상한 서비스 자세는 발을 베이스라인에 평행하게 두고 몸 측면이 정확히 네트를 향하도록 하여 마치 이집트 프리즈frieze(건축물의 외면이나 내면, 기구의 외면에 붙인 띠 모양의 장식물_옮긴이)에 새겨진 조각처럼 보인다. 렌들은 토스를 놓기 전에 갑자기 어깨를 기묘하게 으쓱거린다. 애거시는 토스를 준비할 때 마치 오줌이 마려워 죽을 것처럼 몸무게를 이 발로 옮겼다 저 발로 옮겼다 한다. 이곳 캐나다 오픈에서 젊은 스타 토마스 엔크비스트는 토스할 때 마치 공에서 악취라도 난다는 듯 몸을 괴상하게 구부려 림보limbo 하듯 뒤로 젖힌다. 이 틱은 엔크비스트의 선배 에드베리 자신이 토스할 때 보여준 기이한 척추 아치와 비틀기에서 유래했다. 에드베리는 토스 중간에 라켓을 갑

스물다섯의 애거시(이 사람에 대해서는 여러분도 들은 얘기가 많을 것이다)는 마이클 조이스에게 일종의 영웅이다. 바로 지난주 워싱턴에서 열린 레그 메이슨 테니스 클래식에서, 선수들이 코트에서 구토하고 기권이 속출하던 무더위 속에서 애거시는 본선 3회전에서 6-2, 6-2로 조이스를 물리쳤다. 이번 예선 시합 동안 이따금 조이스는 그랜드스탠드 가족석에서 내 옆에 앉은 자신의 코치를 쳐다보고 미소 지으며 "애거시의 저 샷을 맞았으면 죽었을 거야" 같은 말을 했다. 조이스의 코치는 선글라스를 고쳐 쓰며 아무 말도 하지 않는다(코치는 경기 중에 선수에게 아무 말도 해서는 안 된다). 조이스의 코치 샘 아파리치오[57]는 판초 곤살레스의 제자로, 라스베

자기 바꿔 잡는 신기한 습관도 있는데, 마치 라켓이 냄비라도 되는 듯 이스턴 포핸드 그립에서 극단적 백핸드 그립으로 바꾼다.

[57] 그는 히스패닉 더스틴 호프만을 꽤 닮았으며 거의 믿을 수 없을 만큼 근사한 남자로, 분야를 막론하고 참으로 위대한 교사와 코치의 내향적인 자부심, 어마어마한 시간 동안 한자리에 앉아서 다른 누군가가 무언가를 하는 광경을 면밀히 지켜보아야 하는 사람들이 계발하는 집중력과 차분함의 선禪적 조합을 지녔다. 샘은 조이스의 총수입에서 10퍼센트를 가져가며 여가 시간에는 마야 건축을 다룬 빽빽한 책들을 읽는다. 그는 테니스 업계 안팎을 통틀어 내가 만난 사람 중에서 가장 서글서글한 사람 중 하나다(어찌나 서글서글한지 약간 겁이 나서 취재가 끝난 뒤에 한 번도 연락하지 않았다. 이게 말이 되는지는 모르겠지만). 샘은 10퍼센트를 받는 대가로 조이스와 함께 여행하고 한 방을 쓰고 코치하고 훈련을 감독하고 경기를 분석하고 연습에 동행하고 심지어 조이스가 빽빽한 시간을 연습구 줍는 데 허비하지 않도록 대신 주워주기까지 한다. 프로 테니스의 스트레스와 기이한 고독—다들 같은 공동체에 속해 있고, 매주 서로 만나면서도 끊임없이 헤어지고, 거액을 놓고 서로 경쟁하고, 기본적으로 공항과 밋밋한 호텔과 외식과 지겨운 부상과 엄청난 장거리 통화 요금의 몽타주를 살아가고, 가족은 반미치광이가 되는데 반미치광이만이 자식을 프로로 키우는 데 필요한 금전적·시간적 희생을 감수할 것이므로—대다수 선수가 기술적 조언뿐 아니라 정서적 뒷받침과 우정까지도 코치에게 깊이 의존한다는 뜻이다.

이거스 출신인데 애거시도 이곳에 산다. 조이스는 애거시의 부탁으로 여러 번 라스베이거스로 날아가 그와 연습했으며 분명히 그의 친구이자 동료로 인정받고 있다. 이 사실을 언급할 때 마이클 조이스는 승리와 세계 랭킹에 대해 말할 때만큼 뿌듯한 표정이다.

하지만 애거시와 조이스의 플레이에는 큰 차이가 있다. 조이스와 애거시 둘 다, 톱스핀을 구사하는 선수에게 전형적인 웨스턴 포핸드 그립Western forehand grip[58]과 양손 백핸드를 쓰지만, 조이스의 그라운드스트로크는 매우 '플랫'한데―즉, 공을 쓸어올리는 게 아니라 후려치기에 스핀이 없고 네트 위를 낮게 통과한다―이는 실제 스트로크 동작이 아주 평평하게 수평이기 때문이다. 사실 조이스의 공은 애거시보다는 지미 코너스의 공과 더 비슷하다.[59] 조이스의 그라운드스트로크 중 어떤 것은 너클볼knuckleball[60]이 네트를 넘는 것처럼 보이는데, 실제로 공의 솔기가 회전하지 않고 멈춰 있는 것

샘이 조이스를 위해 맡은 역할은 내가 보기에 20세기 후반에 '동반자companion'라고 불린 것과 비슷해 보인다. 묘령의 여인이 외국 여행을 가거나 할 때 함께 따라가는 나이 든 여자처럼 말이다.

58 테니스에서 손아귀가 지면과 나란히 라켓 면 쪽으로 향하도록 라켓을 쥐는 방법. 미국의 서부에서 널리 쓰였다.(옮긴이)

59 애거시의 공은 보리가 스테로이드와 메타암페타민을 1년 내내 투약하고서 빌어먹을 공 하나하나를 있는 힘껏 때릴 때와 더 비슷하다. 애거시는 그라운드스트로크를 이제껏 테니스를 친 어떤 사람보다 세게 치는데, 어찌나 센지 코트 바로 옆에 서 보면 도무지 믿기지 않을 정도다.

60 야구에서 투수가 손가락을 공의 표면에 세워서 던지는 변화구. 공이 거의 회전을 하지 않고 타자 앞에서 급히 떨어진다.(옮긴이)

을 볼 수 있다. 조이스의 백핸드에도 동작을 뻣뻣하고 다소 어설퍼 보이게 하는 문제가 있는 데 반해—속도와 위치 선정이 그 문제를 상쇄하고도 남지만—애거시의 백핸드는 걸림 없이 물 흐르듯 한다.[61] 조이스는 느린 것과는 거리가 멀지만 애거시만큼 비현실적으로 발이 빠르지는 않다. 애거시는 모든 면에서 마이클 창만큼 빠르며, 이따금 텔레비전에서 그가 포인트와 포인트 사이에 걷는 모습을 보면 기본적으로 무게가 하나도 나가지 않는 발로 사나운 비둘기처럼 종종걸음을 내디디는 것을 알 수 있다.

또한 마이클 조이스는 앤드리 애거시가 공을 보듯 마법적으로 공을 '보'지는 않는다. 그래서 조이스는 애거시만큼 일찍 공을 받아 치거나 그라운드스트로크에 그만한 속도를

---

61 하지만 애거시도 양손으로 라켓을 계속 잡은 채 마치 야구에서 타자가 그러듯 마저 휘두르는 이런 과장된 마무리 동작을 하는데, 이 때문에 셔츠 앞자락이 들려 털투성이 배가 만방에 드러난다. 나는 몬트리올에서 이 광경을 보고 역겨웠지만 주위 스탠드의 여자들은 애거시의 배를 한 번만 볼 수 있다면 죽어도 여한이 없는 것 같았다. 그나저나 애거시의 S.O.('중요한 다른 한 사람significant other'의 약자로, 배우자나 애인을 일컫는다_옮긴이) 브룩 실즈가 몬트리올에 있어서 애거시 경기 때면 가족석에서 커다란 선글라스와 여러 겹 모자처럼 생긴 것을 쓰고 있는 장면을 쉽게 볼 수 있다. 여기서 브룩 실즈가 애거시보다 훨씬 키가 크고 털이 훨씬 적으며 둘이 함께 서 있는 모습을 직접 보면 대니 드비토Danny DeVito(미국의 영화배우로, 키가 147센티미터다_옮긴이)가 시고니 위버Sigourney Weaver(미국의 영화배우로, 키가 180센티미터다_옮긴이) 품에 안긴 모습 같다는 말을 덧붙여야겠다. 브룩 실즈가 (햄턴스에서 여름을 나는 상류층 여인처럼) 소박하지만 세련된 선드레스sundress(여름에 햇볕을 많이 쪼일 수 있도록 어깨, 등, 팔 따위가 드러나게 만든 여성복_옮긴이)를 입고 애거시가 나이키의 새 경기복—파란색과 검은색 가로줄무늬가 있어서 검은색 운동화를 받쳐 신으면 어딘지 프랑스 레지스탕스 전사처럼 보인다—을 입고 있으면 둘의 배합은 유난히 초현실적이다.

끌어내지는 못한다. 여기에서 '본다'라는 것은 중요한 문제여서 설명이 필요하다. 서브를 제외하면 테니스에서 힘은 근력이 아니라 타이밍의 문제다. 최상급 테니스 선수 중에서 근육질을 찾아보기 힘든 것은 이 때문이다.[62] 평범한 성인 남자라면 누구나 프로의 속도로 테니스공을 때릴 수 있다. 관건은 강하면서도 정확하게 때릴 수 있어야 한다는 것이다. 몸을 올바른 위치에 두고 스트로크 타이밍을 맞춰 정확한 타점에서—공을 맞힐 때 몸무게를 뒷다리에서 앞다리로 옮겨 자신의 살짝 앞쪽으로 허리 높이에서—때릴 수만 있다면 공을 힘껏 후려치면서도 원하는 방향으로 보낼 수 있다. '…정확한 타점…'은 밀리미터와 마이크로초의 문제이기 때문에, 어느 정도의 시력은 필수적이다.[63] 애거시의 시력은 말 그대로 10억 분의 1 수준으로, 그가 그라운드스트로크를 매번 있는 힘껏 때릴 수 있는 것은 이 덕분이다. 조이스의 손-눈 협응은 최상급이며 분야를 통틀어 모든 운동선수 중에서 상위 1퍼센트 안에 들지만—그는 철저한 검사를 받은 바 있다—그라운드스트로크를 원하는 방향으로 보내려면 여전히

---

62 하지만 안경을 낀 선수도 거의 없다는 것에도 유의하라.

63 공을 때릴 때는 전혀 다른 종류의 시력—이따금 농구에서 래리 버드가 아무도 보지 못한 빈틈에 자로 잰 듯 신기의 패스를 찔러 넣을 때 사람들이 말하는 그런 시력—이 필요하다. 그러려면 코트의 반대편, 즉 상대 선수가 어디에 있는지, 그가 어느 방향으로 움직이는지, 그의 방향으로 인해 어떤 각도가 가능한지 보아야 한다. 테니스의 분열적 성격은 두 종류의 시력—공과 코트—을 동시에 동원해야 한다는 것이다.

힘을 조금씩 빼야 한다.

단언컨대 테니스는 스포츠 중에서 가장 아름다울 뿐
아니라[64] 가장 힘겹다. 테니스는 신체 통제, 손과 눈의 협응,
재빠름, 최고의 속도, 지구력, 그리고 조심과 (우리가 용기라고
부르는) 놓아버림의 기묘한 조합을 필요로 한다. 두뇌도 필요
하다. 수준 높은 경기의 한 포인트에서의 한 번의 공방에서
의 단 하나의 샷은 역학적 변수의 관점에서 악몽과 같다. 네
트의 (가운데) 높이가 91.4센티미터이고 두 선수의 위치가 (비
현실적이게도) 고정되었다고 가정하면 샷 하나의 위력을 결정
하는 것은 각도, 깊이, 속도, 스핀이다. 이 요인들은 각각 또
다른 변수에 의해 결정된다. 이를테면 샷의 깊이를 결정하
는 것은 공이 네트 위를 지나는 높이에다 속도와 스핀을 아
우르는 어떤 함수를 조합한 것인데, 공의 네트 위 높이 '자
체'는 선수의 신체 위치, 라켓 그립, 백스윙 각도, 라켓 면 기
울기, 공이 실제로 줄에 닿는 시간 동안 라켓 면이 움직이
는 3-D 좌표로 결정된다. 변수와 요인의 나무는 가지를 뻗
고 또 뻗으며, 상대 선수의 위치와 성향과 그가 친 공의 탄
도학적 특징을 고려하면 더더욱 뻗어 나간다.[65] 현존하는 어

---

64 농구가 비슷하지만, 농구는 단체 경기이며 테니스 같은 원초적인 일대일 승부
의 격렬함이 없다. 권투가 비슷할지도 모르지만—적어도 경량급에서는—권투 선수
가 서로에게 입히는 실제의 신체적 피해는 아름답기에는 너무 적나라하게 잔혹하다.
스포츠가 진정한 형이상학적 아름다움을 가지려면 어느 정도의 추상과 형식성(즉,
규칙에 따르는 유희)이 필요할 것이다(내 의견이다).

떤 CPU도 단 한 차례의 공방에 관계된 모든 변수를 계산하지 못한다. 메인프레임에서 연기가 피어오를 것이다. 여기에 동원되는 사고는 살아 있고 차원 높은 의식을 지닌 존재만이, '무'의식적으로만 해낼 수 있다. 즉, 재능과 반복을 고도로 결합하여 의식적 사고 없이도 변수를 조합하고 통제할 수 있어야 한다. 말하자면 일정 수준 이상의 테니스는 일종의 기예다.

테니스를 조금이라도 쳐본 사람이라면 테니스를 정말 잘 치는 것이 얼마나 힘든지 안다고 생각할 것이다. 단언컨대 여러분은 조금도 모른다. 나도 그랬다. 텔레비전으로 봐서는 진짜 최상급 선수들이 무엇을 할 수 있는지—그들이 실제로 얼마나 세게, 또한 어떤 정확도와 전술적 상상력과 솜씨를 가지고 공을 치는지—알 도리가 없다. 나는 마이클 조이스가 연습하는 광경을 코앞에서—1.8미터 떨어진 철망 밖에서—여러 번 볼 수 있었다. 그는 빠르게 날아오는 테니스 공을 전속력으로 달리면서 힘껏 때려 90센티미터 높이의 네트 너머로 23.77미터 떨어진 0.1제곱미터의 네모 안에 넣을 수 있는 사람이다. 그는 이 일을 90퍼센트 이상의 확률로 해낼 수 있다. 이런 사람이 세계 79위인데다 몬트리올 예선에

---

65 재무 통계를 잘 아는 사람에게는 이렇게 설명하면 좋을 것이다. 테니스에서의 샷의 계산은 이자율 자체만이 변수가 아니고 이자율의 결정 요인만이 변수가 아니고 결정 요인들이 이자율에 영향을 미치는 간격만이 변수가 아니고 원금 '자체'가 변수인 경우의 복리 증가를 계산하는 것과 비슷하다고.

서 뛰어야 하는 것이다.

프로 수준의 테니스에서 흥미를 자아내는 것은 스포츠 기예만이 아니다. 이 수준에 요구되는 것, 즉 세계 100위의 선수가 거기에 도달하고 머무르고 심지어 자신과 같은 대가를 치른 다른 사람들보다 더 높이 올라가려면 무엇이 필요한가 또한 우리의 관심을 끈다.

외교와 소시지에 대한 비스마르크의 격언[66]은 우리 미국인이 프로 운동선수에게 느끼는 감정에도 들어맞는다. 우리는 운동에서의 탁월성, 경쟁에서의 성공을 숭배한다. 그저 관심을 표하는 것이 아니다. 우리는 지갑으로 투표한다. 우리는 진정으로 위대한 운동선수를 보는 데 거액을 쓴다. 우리는 그에게 명성과 찬사를 선사할 것이며 심지어 그가 보증하는 제품과 서비스를 구매하기까지 한다.

하지만 우리는 프로급 운동선수가 어느 한 가지를 그토록 잘하기 위해 들인 희생을 평가하지는 않으려 든다. 물론 입에 발린 칭찬을 보내긴 할 것이다. 올림픽 출전 선수의 고독한 영웅성, 미식축구의 통증과 무통증, 이른 기상과 오랜 연습과 식이 제한, 쾌락 박탈, 경기 전 금욕 같은 것들에 대해 풍성한 클리셰를 갖다 붙일 것이다. 하지만 이 희생의 본모습—글자를 못 읽는 농구 천재, 약물을 투약하는 단거리

---

66 "법은 소시지와 같아서 만드는 과정을 보면 정나미가 떨어진다"로 추정되지만 실제로는 비스마르크가 한 말이 아니다.(옮긴이)

달리기 선수, 자신이 허물어지거나 터질 때까지 소牛 성장 호르몬을 주입받는 디펜시브 태클defensive tackle[67]—을 보게 되면 우리는 고개를 돌린다. 우리는 경기 후 인터뷰에서 선수들이 내뱉는 놀랍도록 밋밋하고 한심한 말을 한 귀로 흘려버리려 한다. 정신적 삶에서 무엇이 결핍되었기에 저 위대한 운동선수들이 저토록 단순하게 사고하는지 애써 상상하지 않으려 한다. 프로 운동선수들에 대한 '밀착 인물 탐구' 코너에서 스포츠 이외의 관심사와 활동, 자선, 가치 등 원만한 삶의 증거를 찾으려고 그토록 안간힘을 쓰는 까닭을 생각해보라. 우리는 명백한 것을, 이 안간힘이 대부분 익살극임을 외면한다. 이것이 익살극인 이유는 오늘날의 현실에서 최상급 운동선수가 되려면 일찌감치 한 가지 목표에 모든 것을 쏟아부어야 하기 때문이다. 이것은 금욕에 가까운 집중이다.[68] 선택된 재능 하나를 추구하기 위해 인간적 삶의 나머지 거의 모든 요소를 종속시키는 것. 어린아이의 세상처럼 매우 고지식하고 매우 작은 세상에서 살아가는 데 동의하는 것.

프로 단식 경기가 하루에 두 번 열리는 것은 예선에서

---

67 미식축구에서 수비수의 하나.(옮긴이)

68 섹스와 약물 문제가 있긴 하지만 프로 운동선수들은 여러 면에서 우리 문화의 성자들이다. 그들은 어떤 이상에 스스로를 내어주고 이상의 실현을 위해 크나큰 박탈과 고통을 견디며 우리가 그 길을 스스로 걸을 의향은 전혀 없으면서도 존경하고 보상하고(탁발승의 동냥 그릇, 타점왕의 여덟 자리 계약처럼) 보고 싶어 하는 완벽과의 관계를 향유한다. 말하자면 그들은 '우리를 위해' 그렇게 하며 우리의 (우리가 상상하는) 구원을 위해 자신을 희생한다.

말고는 금시초문이다.[69] 마이클 조이스의 예선 2회전은 토요일 저녁 7시 30분이다. 그의 상대는 줄리안 놀이라는 오스트리아 선수로, 장신에 빼빼 말랐으며 카프카처럼 귀가 뾰족하다. 놀은 양쪽 다 양손을 쓰며[70] 열받으면 라켓을 내팽개친다. 경기는 스타드 자리의 그랜드스탠드 코트에서 열리는데, 이곳은 동쪽에만 관중석과 계단석이 있어서 경기장이라기보다는 공연장 같다. 하지만 그랜드스탠드는 더 친밀한 구석도 있다. 박스석이 코트 지면으로부터 고작 몇 미터 앞에서 시작되기 때문에, 조이스의 뺨에 난 뾰루지나 놀의 이마 위로 흐르는 땀방울이 보일 정도로 가까이서 경기를 관람할 수 있다. 밤에는 더위가 한풀 꺾이지만 습기는 여전하며 고출력 조명들은 모두 회절로 인해 생긴 신기한 무지개공과 주위를 날아다니는 벌레를 두르고 있다. 그랜드스탠드는 1500명쯤 수용할 수 있을 듯하지만, 마이클 조이스가 줄리안 놀을 개 패듯 두들겨 패는 오늘 밤 관중석에 앉은 사람은 정확히 네 명이다. 놀은 오늘 밤 새벽 1시 30분에 몬트리올 공항에서 야간 비행 편을 타고 폴란드 포즈나인에서 열리는 마이너 리그 클레이 토너먼트로 갈 것이다.

---

69 윔블던과 유에스 오픈 같은 그랜드슬램 예선에서는 선수들이 5전 3선승 경기를 하루에 두 번 치러야 할 때도 있다. 살아남은 예선 통과자들이 본선에 오를 즈음 강제 수용소 생존자처럼 보이며 텔레비전에 중계되는 1회전에서 건강하고 충분한 휴식을 취한 톱 시드에게 박살 나는 것은 놀랄 일이 아니다.

70 양손 포핸드라는 뜻. 이 수법의 선구자는 프루 맥밀런이라는 남아프리카공화국 선수이며 오늘날 이 방법을 쓰는 가장 유명한 선수는 모니카 셀레스다.

이날 오후 경기에서 조이스는 소매 색깔이 다른 흰색 필라 셔츠를 입었다. 소매에 꿰맨 패치에는 '파워바POWERBAR'라고 적혀 있다. 경기 중에 이 패치를 착용할 때마다 1000달러를 받는다. 게다가 이날 오후에는 모자를 썼다. 오후에 해가 나면 예선전 참가 선수들은 거의 모두 모자를 쓴다. 오늘 밤 경기에서 조이스는 (짐 쿠리어가 모델로 입은) 한쪽 소매가 빨간색, 다른 쪽 소매가 파란색인 줄무늬 필라 셔츠 차림이다. 패치는 파란색 소매에 달려 있다. 그는 빨간색 반다나를 머리에 둘렀고, 습기에 땀을 흘리기 시작하면서 얼굴이 반다나와 같은 색깔로 바뀐다. 이 모습에 호감을 갖지 않기란 쉬운 일이 아니다. 줄리안 놀은 브랜드를 알 수 없는 추상적인 파스텔컬러 셔츠를 입었다. 그 자신도 알다시피 머리카락을 매우 높이, 비비스Beavis[71]를 방불케 할 만큼 머리 위로 세웠는데, 젤로 고정한 형태는 땀을 흘려도 가라앉거나 흐트러지지 않는다.[72] 놀의 셔츠도 소매 색깔이 다르다. 올해 예선 참가자들 사이에서는 소매 색깔 비대칭이 패션의 상수인가 보다.

조이스 대 놀의 경기 시간은 한 시간을 살짝 넘긴다. 여기에는 놀이 라켓을 팽개쳤다가 줍는 시간, 이유 없이 원을

---

71 애니메이션 〈비비스와 버트헤드Beavis And Butt-Head〉의 주인공.(옮긴이)

72 머리에 대량의 젤을 발랐는데 땀을 잔뜩 흘리면 어떻게 될지 생각하니 너무도 끔찍해서 경기 끝나고 놀에게 가서 물어봤는데, 그와 코치 둘 다 영어를 잘하지 못해서 내가 누구인지 알려줄 수조차 없었다. 땀과 젤의 전반적 문제는 아무래도 각자의 상상에 맡겨야 할 것 같다.

그러며 걸으면서 고지 독일어High-German 사투리로 스스로에게 신경질을 내는 시간이 포함된다. 하지만 놀이 성질을 부리는 것은 내게는 다소 작위적이고 가식적으로 보인다. 특별한 범실을 저질러서 포인트를 잃는 경우는 좀처럼 없기 때문이다. 이 경기의 전형적 포인트는 이런 식이다. 지금은 1-4의 여섯 번째 게임 15-30이다. 놀이 시속 177킬로미터의 슬라이스 서브를 조이스의 이마로 날린다. 조이스가 매우 플랫하고 깊숙한 드라이브를 크로스로 때리자 놀은 달리는 중에 몸을 뻗어 포핸드를 쳐야 한다. 양손 포핸드에게는 딱히 쉬운 일은 아니다. 놀이 포핸드 자세를 잡고 모든 면에서 훌륭한 샷을 때린다. 톱스핀을 먹은 공이 둥글게 날아 서비스라인 몇 자 뒤에 (아마도 아주 살짝) 짧게 떨어지고 그는 방향을 바꾸고는 다음 샷을 준비하기 위해 베이스라인 가운데로 돌아가려고 잽싸게 움직이기 시작한다. 조이스는 진실에 대한 표준운영지침이 으레 그렇듯 약간의 쇼트볼short ball[73]에 다가붙어 바운스 직후 온더라이즈에서 더 플랫하고 강한 백핸드를 마지막 샷을 날린 지점—놀이 잽싸게 벗어나려고 하는 바로 그 지점—으로 날려 보낸다. 이제 놀은 방향을 바꿔 원래 있던 곳으로 돌아갈 수밖에 없다.[74] 원래 자리로 돌아가 라켓을 공에 대보지만 간신히 닿기만 하는 수준이어서,

---

[73] 테니스에서 네트를 겨우 넘길 정도의 짧은 볼.(옮긴이)

[74] 조이스가 쓴 수법은 상대의 '틀린 발wrong-foot'이라고 불리지만, 이곳의 고집 센 프랑스어 언론은 이 전술을 줄기차게 '콩트르 피에contre-pied(반대발)'라고 부른다.

선택, 자유, 제약, 기쁨, 기괴함, 인간적 완벽함에 대한
어떤 본보기로서 테니스 선수 마이클 조이스의 전문가적 기예

123

작고 흐물흐물한 미 농무부 프라임 등급[75] 로블릿loblet[76]을 돌려보낼 뿐인데, 조이스가 이번엔 정말로 네트에 바싹 붙은 채 공을 블로킹하여 빈 공간에 위너를 날려 보내는 것은 식은 죽 먹기다. 네 명이 박수를 치고 놀의 라켓이 빙글빙글 돌며 핏빛 타프를 향해 날아가고 조이스는 놀이 서브 준비를 하면 언제든 다시 리시브할 수 있도록 무표정하게 듀스 코트로 돌아간다. 놀은 1회전의 브래커스보다는 화력이 조금이나마 강하다. 그라운드스트로크는 위력적인데, 공에 달려가 자세를 잡을 시간이 충분하다면 심지어 치명적일지도 모르겠다. 조이스가 그 시간을 허락하지 않을 뿐. 나중에 조이스는 이 경기에서 그다지 열심히 뛰지 않았다고 털어놓는다. 그럴 필요가 없었으니까. 기막힌 위너는 별로 없지만 범실도 거의 저지르지 않는다. 그의 샷은 다소 어설픈 놀을 이리 갔다 저리 갔다 하게 하여 자세를 잡을 시간과 평정을 허락하지 않도록 계산되었다. 이 전략은 놀이 해결하거나 깨뜨릴 수 있는 차원이 아니다. 그는 속수무책이다. 조이스가 몬트리올에서 예선을 뛰어야 하는 것에 분개하지 않는 데는 이런 까닭도 있을 것이다. 부상을 당하거나 신경 장애를 겪지 않

---

75 본디 마블링이 많아서 연한 고기를 뜻하나 여기서는 힘없는 공을 일컫는다.(옮긴이)

76 '테니스에서 공을 높이 쳐서 상대편의 머리 위로 넘겨 코트의 후방으로 떨어뜨리는 일, 또는 그 공'을 일컫는 '로브lob'에 '작은 것'을 나타내는 접미사 '-let'을 붙인 조어.(옮긴이)

는 한 그는 오스트리아의 줄리안 놀 같은 선수에게 지지 않는다. 조이스는 그저 이 예선 참가자 무리와 다른 경지에 있을 뿐이다.

경기 테니스에 확연한 수준 차이가 있을 수 있다는—차이가 너무 확연해서 본질적으로 전혀 다른 경기를 하고 있는 것이라는—말이 괴상한 허풍처럼 들릴지도 모르겠다. 하지만 나는 이 말이 사실임을 알 만큼 테니스를 쳐본 사람이다. 나는 나와 전혀 다른, 더 높은 경지에 있는 사람들과 경기해봤으며 그들을 이기는 것, '그들의 플레이를 해결하는 것'이 불가능함을 가장 뼈저리고 겸허하게 깨달았다. 놀은 엄밀히 말해서 프로라고 불릴 자격이 있지만, 그가 하는 테니스는 마이클 조이스의 테니스와 근본적으로 다른, 조이스에게는 없는 한계에 얽매이는 등급이다. 나는 줄리안 놀과는 테니스 코트에서 맞붙을 수 있을 것 같다. 그는 나를, 아마도 무참히 꺾을 테지만 내가 그와 똑같은 세로 23.77미터, 가로 8.23미터의 직사각형을 점유한다는 생각이 터무니없지는 않을 것 같다. 하지만 조이스와 경기한다는 생각은—심지어 공을 주고받는다는 생각도(팔팔한 젊은 미국인 프로 선수와 공을 주고받는다는 것은 몬트리올까지 날아가면서 내가 음미하던 상상 중 하나였다)—이제 내게 터무니없으며 어떤 면에서는 외설적임이 드러났다. 이 야간 경기가 진행되는 동안 나는 심지어 내가 경기 테니스를 했으며 본격적으로 (내 딴에는) 꽤 잘 쳤다는 얘기를 조이스에게 하지 않겠노라 다짐한다.[77] 그러자

서글퍼진다.

예선 둘째 날인 일요일은 대부분의 경기가 우천으로 중단된다. 비가 종일 내렸다 그쳤다 한다. 코트 옆 높은 의자에 앉은 주심이 비가 경기를 연기해야 할 만큼 많이 내리는지 판단한다. 세계 219위와 345위의 2회전은 네 번 연기된 끝에 하루를 대부분 보내고서야 마무리된다. 비가 내릴 때 벌어지는 일은 야구를 연상시킨다. 선수들은 선수 천막으로 급히 피하지만, 비가 언제라도 그칠 수 있으므로 자리를 떠날 수는 없다. 언제라도 경기할 준비를 한 채 마냥 앉아 있어야 한다. 관중은—이튿날에는 좀 늘었다—제자리를 지키지만, 스탠드 여기저기서 우산이 작은 버섯갓처럼 펼쳐지기 시작한다. 기자석의 퀘벡 현지 기자들은 프랑스어로 욕을 하며 신문이나 휴대용 비디오 게임기를 꺼내거나 (내 프랑스어 실력으로는 지루하게만 들리는) 기나긴 섹스 모험담을 주고받기 시작한다.

비가 그치고 시간이 충분히 흘러 주심이 엄지손가락을 치켜세워 경기 재개를 선포하려는데 갑자기 스타디움 코트에서 관리 작업이 벌어진다. 경기장 관리인이 된 볼보이와 선심의 중국식 소방 훈련Chinese fire drill[78]이다. 신기하고 비싸 보

---

77 조이스는 기본적으로 다정한 사람이므로 예의로라도 나와 잠시 공을 주고받았을 것이다. 기껏해야 조금 지겨운 것이 다였을 테니 말이다. 하지만 내 입장에서는 언감생심이었다.

78 야단법석을 가리키는 관용 표현.(옮긴이)

이는 기계가 난데없이 나타나 자리를 잡는다. 거대한 잔디깎이차처럼 생긴 송풍차들이 코트를 누비며 빗물 웅덩이를 불어 납작하게 펴고 나면 스퀴지squeegee[79] 소대가 코트 표면의 모든 센티미터를 닦은 다음 휴대용 송풍기—낙엽 청소기처럼 생겼는데, 어깨끈과 주둥이가 달렸다—로 (늘 코트 건조에 지장을 주는) 상습 침수 지점을 말린다.

이 글은 마이클 조이스와, 텔레비전에 나오지 않는 투어의 실상에 대한 것이지 나에 대한 것이 아니다. 하지만 캐나다 오픈과 선수들에 대한 나의 경험의 큰 부분을 차지하는 것은 슬픔이었으므로, 잠깐 시간을 내어 나와 이 선수들의 관계를 밝혀두는 게 좋겠다. 나는 어릴 적에 테니스 선수로 미드웨스트 전역의 토너먼트를 돌아다녔다. 가장 친한 친구들도 대부분 테니스 선수였다. 우리는 지역 수준에서 꽤 좋은 성적을 거뒀으며 자신이 엄청나게 훌륭한 선수라고 생각했다. 테니스를 잘한다는 것은 내게 무엇보다 중요한 일이었다. 테니스를 본격적으로 치는 주니어 선수는 시간과 자유의 많은 부분을 테니스 실력 향상에 쏟으며[80] 테니스가 그의 정체성과 자존감에서 큰 부분을 차지할 가능성이 매우 크다. 나를 비롯한 열네 살배기 미드웨스트 테니스 명수들은 우리가 우물 안 개구리임을 알았다. 전국 수준의 경기가 있고 그곳에는 그 수준에 맞는 테니스 명수와 우승자가 있음

---

79 고무 롤러 또는 인쇄판에 묻은 기름기나 물기를 닦아내는 물건.(옮긴이)

을 알았다. 하지만 우리를 넘어서는 수준과 경지는 추상적인 것으로, 왠지 비현실적인 것으로 보였다. 우리 지역의 테니스 명수들은 자신보다 확실하게 잘하는 또래 선수를 (말 그대로) 상상할 수 없었다.

아이의 세상은 알고 보면 무척 작은 법이다. 내가 좀만 더 잘해서 실제 지역 선수권자가 되었다면 전국 수준 토너먼트에 출전할 자격을 얻었을 테고, 그랬다면 미국에는 내가 듣고 보도 못한 수준으로 테니스를 치는 열네 살짜리들이 있음을 두 눈으로 보았을 것이다.

주니어 시절 내 플레이는 일종의 고전적 수비형으로, 마틴 에이미스[81]가 '비겁한 회수craven retrieval'라고 부르는 것이었다. 나는 공을 그다지 세게 치지 않았으나 범실도 좀처럼 저

---

[80] 하지만 마이클 조이스의 어린 시절 얘길 들어보니 나와 친구들은 그와 비교하면 게으름뱅이요 한량이었다. 그는 자신의 일과를 이렇게 읊는다. "1시까지 학교에 갑니다. 그런 뒤에 (아버지가 모는 차를 타고 캘리포니아주 토런스에 있는 웨스트 엔드 테니스) 클럽에 가서 (전설적이고 터무니없이 비싸고 믿을 수 없이 엄격하며 누구보다 트레이시 오스틴의 어린 시절 전직 코치인 로버트) 랜스도프에게 3시부터 4시까지 레슨을 받습니다. 그러고 나서 4시부터 6시까지 반복 연습을 한 다음 집에 돌아오면—반 시간쯤 걸리죠—'하느님 감사합니다. 이제 텔레비전 보고 방에 올라가 전화로 (친구들과) 대화하고 할 수 있겠군' 하는 심정이지만 아버지가 '아직 서브 연습을 안 했잖아'라고 하시는 겁니다. 열두 살이나 열세 살이 되면 그렇게 하고 싶지 않을 겁니다. (거짓말이 아니다. 본격적인 반복 연습 두 시간만으로도 본 기자는 하루 종일 태아 상태에 놓였으니까.) 그렇게 하려면 누군가 필요합니다. (자신의 처지를 이런 식으로 해석하는 것도 한 방법이다.) 하지만 100번 넘게 서브를 하고 나면 빠져들기 시작하고(뒷마당에 있는 테니스장에 공이 든 커다란 양동이를 가지고 혼자 서서 그때쯤 깔리기 시작한 어스름 속에서 아무도 없는 코트 너머를 향해 서브를 날리고 또 날리다보면), 좋아집니다. 연습하는 게 즐거워지는 거죠."

[81] 영국의 소설가.(옮긴이)

지르지 않았다. 나는 몸놀림이 빨랐으며 나의 일반적인 수법은 상대 선수에게 계속 공을 받아 쳐서 녀석이 맛이 가게 하거나 범실을 저지르게 하거나 짧고 흐물흐물하게 공을 쳐서 내가 위너를 때릴 수 있게 하는 것이었다. 돌이켜보면 썩 대단하거나 심지어 재미있는 경기 방법도 아니었지만, 내게는 재미있었다. 이 방법이 얼마나 효과적이었는지 알면—적어도 내가 뛰는 수준에서—여러분은 놀랄 것이다. 열두 살이면 아무리 훌륭한 선수라도 네다섯 번 치고 나면 공을 빗맞히기 마련이다(대개는 성급하거나 의욕이 지나쳐서 저지르는 실책이다). 열여섯 살이 되면 훌륭한 선수는 일고여덟 샷은 족히 성공시킨 뒤에야 빗맞힐 것이다. 대학 수준에서도—적어도 3군Division III에서는—상대 선수들이 주니어 선수들보다 강하긴 했지만 딱히 더 초지일관하지는 않았다. 랠리를 일고여덟 샷까지 끌고 나갈 수만 있으면 대개 상대방의 실책으로 포인트를 얻을 수 있었다.[82]

　나는 아직도 테니스를 치며—대회에 참가하지는 않아도 진지하게 치는 편이다—고백건대 내면 깊숙한 어딘가에서는 스스로를 엄청나게 훌륭한, 정말로 꺾기 힘든 테니스 선수로 여긴다. 몬트리올에 오기 전까지는 프로 테니스를 텔레비전에서만 봤는데, 앞에서 말했듯 텔레비전만 봐서는 프로들이 얼마나 훌륭한지 실감할 수 없다. 또 하나 고백하자면, 그래서 나는 몬트리올에 도착하면서 이 프로들이—적어도 스타가 아닌 무명 선수들은—나보다 '그렇게' 뛰어나지는 않으리

라 막연히 무의식적으로 예상했다. 내가 제정신이 아니라는

---

82 내가 언급하지 않은 중요한 변수는 아이들이 (놀랍지 않게도) 미성숙하고 일이 안 풀리면 스스로에게 화를 낸다는 사실이다. 따라서 내 전략에서 핵심적인 부분은 상대 선수가 범실을 많이 저질러 점점 스스로에게 열받게 하는 것이다. 그러면 제풀에 경기를 망친다. 자신의 실책에 대한 자기혐오감, 또는 '운수 사나운 날'이나 '일진 안 좋은 날'을 가져다준 우주에 대한 쓰라린 불만이 커지다 보면 대체로 2세트 어느 시점에서 일종의 격분한 무기력에 빠져들어 공을 '틀림없이' 빗맞히거나 이따금 심지어 리어 왕을 방불케 하는 대大짜증이 나서 라켓을 집어던지고 욕설을 퍼붓고 이따금 눈물을 쏟고 만다. 하지만 내가 나이를 먹고 상대 선수들이 성숙하면서 이런 일은 점점 줄었으며 대학에 다닐 즈음에는 (나 같은) 열등한 선수에게 질 만큼 분에 못 이기는 녀석은 진짜 골통밖에 없었다. 그렇기에 내가 열두 살 부잣집 애들에게 하던 짓을 조이스가 3회전 예선 통과자들에게 하는 광경은 충격적이다. 그것은 기본적으로 어려운 공을 받아내고 실책을 피하고 상대 선수가 짜증을 낼 때까지 기다리는 것이다. 일요일에 우천으로 경기가 연기되어 조이스의 3회전은 본선 1회전 일부 경기가 시작되는 월요일 오전 10시에 열린다. 조이스의 상대는 마크 놀스라는 스물다섯 살 청년으로, 1986년 미국 주니어 실내 챔피언이며 바하마 태생이다. 지금은 복식 선수로 주로 알려졌지만 여전히 (조이스와 같은 급인) 세계 200위 안에 랭크된 만만찮은 적수다. 놀스는 장신에 호리호리하며 장신에 호리호리한 사람들이 근육질인 것처럼 밧줄 같은 근육질이다. 살갗은 근사한 구릿빛이고 딱 붙은 금발은 곱슬이며 멀리서 보면 잘생겼지만 가까이서 보면 우락부락 여드름투성이에 눈이 약간 튀어나온 것이 내가 보건대 방아쇠만 당기면 짜증이 발사될 얼굴이다. 놀스를 가까이서 볼 기회가 생긴 것은 그와 조이스가 경기하는 군소 코트에서는 코트에서 불과 몇 미터 떨어진 낮은 담장 위로 관중이 몸을 기댄 채 서서 관전할 수 있기 때문이다. 나, 조이스의 코치, 놀스의 코치와 예쁜 여자 친구가 진지하게 서서 관전하는 유일한 사람이다. 더 유명한 경기를 보려고 지나가다가 잠깐 멈춰서 몇 포인트를 구경하고 가버리는 관중은 많지만. 행인들이 코트 옆을 끊임없이 지나가는 게 놀스에게는 여간 짜증스럽지 않다. 그는 이따금 포인트가 진행되는 와중에 자리를 뜨는 사람들에게 비꼬는 투로 고함을 지른다. 지나가는 사람에게 놀스가 외친 말 중에는 이런 것도 있다. "걱정 말고 가세요! 우리는 돈을 위해 경기를 뿐이니까! 우리는 프로일 뿐이라고요! 미안해할 필요 없어요!" 서브를 준비하는 조이스는 무심하게 정면을 바라보면서 놀스가 고함을 다 지를 때까지 기다린다. 조이스의 표정은 자기한테 탈탈 털리는 도박꾼이 무례하거나 모욕적일 때 라스베이거스 딜러가 보이는 것과 같은 끈기 있고 예단하지 않는 표정이자 끈기 있고 예단하지 않는 것이 자신에게 매우 유리하다는 것을 아는 사람의 표정이다. 샘 아라파치오는 놀스를 "명민하지만 좀 엉뚱해"라고 평하는데, 내 생각엔 그의 코치도 유유상종이다. 내가 보기에 놀스는 심각한 정서적·성격 장애를 앓는 사람들을 위한 감금 병동에 갇혀 있는 듯하기 때문이

뜻은 아니다. 적지 않은 나이와 91년에 입은 심각한 발목 부상과—군이 수술을 받지는 않았다—니코틴(과 더 나쁜 것) 애호 때문에 젊고 부상 없는 프로에게 신체적으로 경쟁 상대가 되지 못함을 인정할 의향은 얼마든지 있었다. 하지만 (정크 푸드를 먹고 연기를 뿜으면서 본) 텔레비전에서 프로들이 서로에게 후려치던 공은 내가 때리는 공보다 별반 빨라 보이지

다. 그는 고함을 지르고 라켓을 집어던지고 내가 중학교 이후로 들어보지 못한 지저분한 욕설을 내뱉는다. 샷이 네트 코드net-cord(테니스 네트를 설치하는 줄_옮긴이) 위에 맞고 되튀면 놀스는 눈이 튀어나오고 입이 뒤틀린 채 이렇게 외친다. "이렇게 운이 좋을 수가!" 그를 보면 내가 예전에 상대하고 꺾은, 부잣집에서 곱게 자란 미드웨스트 애들이 으스스하게 겹쳐 보인다. 그 애들이 내게 패한 것은 일이 제 뜻대로 안 풀릴 때 짜증을 억누르지 못했기 때문이다. 놀스는 조이스의 불운과 변칙 바운스가 자기 못지않게 많으며 지나가는 구경꾼이 두 선수에게 똑같이 방해가 된다는 사실을 알아차리지 못하는 듯하다. 그는 세상의 애로를 특수하고도 개인적으로 받아들이는 사람 같다. 그를 보고 있으면 배 언저리가 아프다. 놀스가 공을 담장에 너무 세게 때려 공이 상할 것 같으면 주심이 경고를 주지만, 그의 목소리는 주의력 결핍 장애를 앓는 아이를 대하는 유치원 교사의 온화하고 연민 어린 목소리다. 이렇게 다혈질인 사람이 본격적인 프로 수준까지 올라갈 수 있다는 사실이 믿기 힘들다. 물론 주의가 흩어지지만 않으면 놀스는 매끄러운 스트로크를 구사하고 스핀과 구속을 기막히게 조절하는 대단한 선수이지만 말이다. 조이스에 대한 그의 판단은 강타자라는 것이며—사실이다—그의 전술은 구속을 변화시키고 스핀을 다양화하고 드롭샷drop shot(테니스나 배드민턴 따위에서, 볼이나 셔틀콕에 역회전을 주어 상대편 코트의 네트 가까이 떨어뜨리는 타구_옮긴이)으로 조이스를 불러들이고 조이스의 속도나 리듬을 흔들어 그의 혼을 빼놓는 것이다. 화력 면에서는 둘이 대등하므로 좋은 전술이다. 타이 브레이크tiebrake(테니스에서 게임 카운트가 6대 6 또는 8대 8일 때에, 7포인트를 먼저 득점한 쪽을 승자로 하는 규정. 듀스가 반복되어 시합이 길어지는 것을 막기 위한 것이다_옮긴이)까지 가는 접전 끝에 조이스가 첫 세트를 따낸다. 하지만 타이 브레이크 중간에 세 번이나 놀스는 지나가는 구경꾼을 향해 외친다. "걱정 마요! 프로 경기의 타이 브레이크일 뿐이니까!" 첫 세트가 끝났을 즈음 그는 만신창이가 되었으며 2세트는 하는 둥 마는 둥 한다. 조이스는 최대한 빨리 경기를 마무리하고는 선수 천막으로 잽싸게 돌아가 탄수화물을 챙기고 이따가 본선 1회전을 치러야 한다는 사실을 상기한다.

않았다. 말하자면 첫 프로 토너먼트를 참관하는 나의 마음 속에 있던 것은 무지에 동반되는 가련한 망상적 자부심이었다. 그리고 나는 예선전을 보면서—놀랍게도 본선도 아니고 캐나다 오픈 무대의 예선 통과자 티켓 여덟 장을 놓고 싸우는 64명의 세계 하위급 선수들이 벌이는 경기였다—경외감과 서글픈 놀라움이 복합된 감정을 느꼈다. 나는 호된 교훈을 얻었다. 나는 이 하위권 프로들처럼 경기하지 못하며 단한 번도 그러지 못했다.

내가 어린 시절에 그토록 오랫동안 갈고닦은 비겁한 플레이는 이 친구들에게 통하지 않는다. 무엇보다 프로들은 범실을 저지르지 않는다. 어쨌든 하도 범실이 드물어서 내가게임을 따내는 데 필요한 일곱 포인트당 네 개의 범실을 저지를 가능성은 전무하다. 다른 한편으로 그들은 말 그대로 맹렬한 깊이와 속도를 갖추지 않은 샷은 죄다 받아 쳐—찰나의 시간만 있어도 자세를 갖춰 샷을 날릴 수 있음을 감안하면—위너를 때려낸다. 또 다른 한편으로 그들 자신의 샷이 맹렬한 깊이와 속도를 갖추었기에 어느 때든 내가 한두번 이상 받아 칠 가능성은 전무하다. 나는 이 굶주린 무명의 선수들과 같은 코트에 유의미하게 '존재'할 수 없다. 여러분도 마찬가지다. 이것은 단지 재능이나 연습의 문제가 아니다. 다른 무언가가 있다.

월요일에 본선이 시작된다. 경기장은 입추의 여지가 없다. 예선전에 참가한 선수들은 대부분 지금쯤 비행기를 타고서 바다 위 높이 어딘가를 날고 있을 것이다.

주요 ATP 토너먼트에 가는 것은 메이저 리그 경기에 가는 것과 박람회에 가는 것을 섞어놓은 것과 비슷하다. 일반 입장권Grounds Pass을 사서 이 경기 저 경기 기웃거리며 맛보기로 관람할 수도 있고 값비싼 특별 입장권을 사서 스타디움과 그랜드스탠드에서 열리는 주요 경기를 관람할 수도 있다. 대회 초반에는 이런 주요 경기에서 상위 시드와 친숙한 이름—애거시, 샘프러스, 창—이 야쿠프 흘라세크 같은 본선 들러리와 맞붙는다.[83]

하지만 테니스 관중이 되는 것은 야구 관중이 되는 것과 다르다. 관중의 소음이나 움직임이 자유투를 던지려는 사람에 비해 서브를 넣으려는 사람에게 조금이라도 더 거슬리는지는 모르겠지만, 선수와 토너먼트는 마치 그런 것처럼 행동하며 경기 자체는 장례식의 적막함에 최대한 가까운 분위기에서 치러진다.[84] 스타디움 경기에서 관람석에 앉았다면 여러분은 게임의 합이 홀수가 되는 휴식 시간—이때 선수들은 빨간색 파라솔 아래 잠깐 앉아서 쉰다—에만 나갔다 올

---

83 흘라세크는 화요일 오전 본선 1회전에서 무명의 미국 선수 조너선 스타크에게 졌고, 스타크는 수요일 2회전 스타디움을 꽉 채운 관중 앞에서 샘프러스에게 졌다.

84 이런 제의적 침묵이 흐르는 것은 거물이 경기하는 스타디움과 그랜드스탠드에서뿐이다. 구석 코트에서 경기하는 하위권 선수들은 관중이 포인트 중간에 잡담하고, 사람들이 돌아다녀 온 관람석이 덜커덩거리고 철커덕거리고, 식음료 판매원들이 방풍막 바로 뒤 통로로 수레를 요란하게 끌고 다니거나 여러 군소 코트 담장 바로 맞은편 식음료 준비 천막에서 직원들이 낄낄거리고 회회덕거리는 것을 견뎌야 한다.

수 있다. 경기 중에는 안내원들이 출입구를 통제하며, 경사로를 따라 스타디움 관람석까지 이어진 밧줄 뒤로는 언제나 음식물을 잔뜩 든 관람객들이 목을 길게 빼고서 재입장을 기다린다.

몬트리올의 많은 것이 그렇듯 스타드 자리에도 무너져 가는 장엄함이 있다. 스타디움·그랜드스탠드는 몬트리올에서 올림픽 경기장을 짓기 전까지 엑스포가 열리던 곳으로, 꼬질꼬질하고 낡고 관중이 들어가거나 나갈 때마다 불안하게 끼익 소리를 낸다. 대다수 토너먼트에서 '선수 라운지'는 고급 소파와 비디오 게임과 마사지실 여러 곳을 갖추고 냉난방이 제공되는 공간이지만, 스타드 자리의 선수 라운지는 라커 룸 주위로 캔버스 파티션을 친 커다란 천막에 불과하며 비디오 게임도 없이 텔레비전만 달랑 한 대 있으며 전기도 들어오지 않는다. 주차장은 부실하고 잡초투성이이며 코트와 시설 사이의 공간은 흙바닥이거나 흙바닥과 진배없이 바스라진 아스팔트다. 95 오픈이 끝나면 모든 시설이 철거될 예정이며, 테니스 캐나다Tennis Canada[85]와 (스타디움의 사창가풍 깃발에 이름이 박힌) 기업들이 플러싱 메도스풍의 테니스 종합 경기장을 신축할 계획이다.

---

85 테니스 캐나다는 캐나다판 U.S.T.A.이며, 이곳 옴니움 뒤 모리에서 걸핏하면 시야를 침범하는 로고는 유서 깊은 캐나다 설탕단풍나무 잎에 라켓 잎대가 달린 모양이다. 캐나다인들이 왜 미국인이 자기네를 놀리는지 이해가 안 된다고 항변할 때 가리키고 싶어지는 것이 바로 저런 것이다.

이에 반해 토너먼트 장소 주위의 자리 공원Parc du Jarry은 매우 아름답다. 스타디움 꼭대기 관람석에서 내려다보면 햇빛과 넘실거리는 풀밭, 공용 수영장, 위풍당당한 새들로 가득한 연못이 보인다. 멀리 북쪽으로는 엄청나게 큰 교회의 녹슨 돔이 있고 서쪽으로는 몬트리올 시대의 심전도 스카이라인이 펼쳐진다.

하지만 그래서 여러분은 경기 중간에 돌아다니거나 연습 코트를 구경하거나 화장실 줄에 합류하거나 선수 천막 밖에서 어린애들과 사인 사냥꾼들과 몸싸움을 벌일 수 있다. 음식물을 살 수도 있고. 스타디움 코트 입구 한 곳 바깥에는 에비앙 생수만 파는 부스가 있다. 스페인 땅콩과 퍼지 사탕을 그램 단위로 사서 먹을 수도 있고 킬로그램 단위로 사서 집에 가져갈 수도 있다.[86] 컵에 담은 프렌치프라이, 나초, 종이 접시에 들어 있는 (자세히 들여다보고 싶지 않은) 나선형으로 꼰 작은 튀김 등 여름 관광지 특유의 튀긴 음식 냄새가 스타드 자리 구내 전역에 진동한다. 도브 바Dove Bar[87]의 퀘벡판인 리처드 D 바Richard D's Bar를 파는 부스도 두 곳 있다(도브 바만은 못하지만 꽤 훌륭하다). 일반인에게 개방된 남자 화장실은 두 곳뿐이며[88] 두 곳 다 중간 규모 은행 지점만큼 줄이 늘어서 있다. 라도Rado® 스매시 부스에서는 3캐나다달러

---

86 다만 이 더위에 퍼지를 집까지 가져가겠다면, 행운을 빈다.

87 미국의 아이스바.(옮긴이)

만 내면 손때 묻은 라켓을 가지고 커다란 케이지에 들어가 닳아빠진 네트에 서브를 때릴 수 있다. 그러면 케이지 위에 있는 커다란 액정 화면에 서브의 속도가 표시된다. 라도 스매시 부스를 이용하는 사람은 대부분 남자로, 박람회장에서 사격 실력이나 해머 휘두르는 솜씨를 테스트하려는 남자들과 똑같이 테스토스테론을 풀풀 풍기는 표정으로 케이지에 들어서는 광경을 그들의 여자 친구들이 열심히 쳐다보고 있다. 미국인들은 화면에 표시된 서브 속도에 매우 흡족하고 흥분하다가 단위가 시간당 마일이 아니라 시간당 킬로미터인 걸 깨닫고 실망한다. 그랜드스탠드 입구 근처에는 핫도그와 햄버거가 있고 그 비슷한 걸 굽는 소리가 울려 퍼진다. 그랜드스탠드와 두 번째 남자 화장실 정동正東에는 커다란 천막 안에 어엿한 간이식당이 차려져 있는데, 얇디얇은 널빤지로 만든 낮은 단 위에 인조 잔디를 깔고 접이식 테이블을 올려놓아서 누군가 지나갈 때마다 테이블이 들썩이고 에비앙 생수통이 떨어진다. 월요일을 시작으로 많은 캐나다 여자애들이 엄청나게 짧고 꽉 끼는 반바지를 입고 돌아다니고 그들

---

88 '르 메디아Le Média'는 자체 화장실이 두 곳 있지만, 위쪽 기자석에 있어서 스타디움의 안으로 밖으로 다시 안으로 흔들거리고 붐비는 계단을 약 다섯 번에 걸쳐 올라가는데 마지막 계단은 화재시 비상구처럼 **빽빽**하게 줄이 쳐진 철제 계단인데다 매우 가파르고 솔직히 위험해서 '알레 오 피수아aller au pissoir'(용변 보러 가다) 해야 할 때면 늘 공중화장실의 미어터지는 공포와 기자용 화장실의 시시포스적 공포 사이에서 힘든 결정을 내려야 하며, 나는 돌아다닐 때 에비앙 생수와 커피를 작작 마셔야 한다는 사실을 이튿날에야 깨우친다.

의 민소매 남자 친구들은 자기 여자 친구의 꽉 끼는 반바지가 건강한 내분비계를 가진 남성에게서 일으키도록 되어 있는 바로 그 반응을 여러분이 보일라치면 매섭게 노려본다.

나이 든 사람들은 스타드 자리 공원의 빨간색 벤치에 하루 종일 미동도 없이 앉아 있다.

스타드 자리 구내의 모든 출입구와 중요한 문 앞에는 보안 요원이 있다. 그들은 토너먼트에서 급료를 받는 젊은 퀘벡인으로—그들의 임무가 보안인지 다른 무엇인지는 여전히 다소 아리송하다—워키토키를 들고 빨간색과 검은색의 뒤 모리에 선캡을 쓰고 어디서나 한결같은 보안 요원 특유의 긴장 섞인 따분한 표정으로 온종일 앉아 있다.

기쁜 소식을 알려드리자면 왕년에 잘나가던 미국 소프트드링크를 파는 부스가 네 곳 있다. 하지만 부스의 '소프트드링크' 홍보 간판을 글자 그대로 번역하면 '가스 음료Gaseous Beverage'인데, 대다수 캐나다 오픈 관람객들이 소프트드링크 대신 에비앙을 선택하는 것은 이 때문인지도 모르겠다.

아니면 캐나다 오픈 줄감개 천막 앞에 서서, ATP 투어 공식 줄감개 장인이 산처럼 쌓인 라켓 옆에서 펜치와 대형 가위와, 대장장이 모루와 치과 의자를 합쳐놓은 것처럼 생긴 물건을 가지고 작업하는 광경을 지켜볼 수도 있다. 그것도 아니면 선수 천막 바깥에서, ATP 공식 선수 트레이딩 카드[89]

---

89 선수의 사진이 들어 있는 수집용 카드.(옮긴이)

에[90] 선수 사인을 받으려는 아이들 부대에 합세할 수도 있고, 지나가는 선수가 알고 보니 샘프러스나 쿠리어나 애거시일 때 벌어지는 폭동 비슷한 소동을 목도할 수도 있고, 심지어 브룩 실즈가 랩어라운드 블라우스[91]와 하늘하늘한 모자 차림으로 너무 가까이 지나갈 때 랩어라운드 선글라스[92] 차림의 보디가드에게 밀려날 수도 있다.

더 본격적으로 소비하고 싶은 기분이 들면 스타디움 종합 경기장 동쪽에 있는 프롬나드 뒤 스포르티프Promenade du Sportif에 가면 된다. 이곳은 일종의 천막 쇼핑몰로, 프린스, 윌슨, 나이키, 헤드, 부스트® 비타민·에너지 음료(무료 시음 가능), 스와치, 내추럴 밸리 그래놀라 바Nature Valley Granola Bar[93], 소니, 데코터프에 이르기까지 캐나다 오픈과 조금이라도 관계가 있는 온갖 제품을 판다.

이 토너먼트에서는 (미국 독자라면 이 점이 특히 솔깃할 텐데) 스타디움 코트 주 출입구 바로 바깥에 있는 빨간색과 검은색의 특별 부스에서 뒤 모리에 브랜드 담배를 실제로 '구입'할 수 있다(한 갑씩 살 수도 있고 넓고 납작한 유로팩 단위로 살

---

90   ATP에서 최근에 보여준 꽤 기발한 마케팅 기법—나도 선수 이름에 혹해 몇 장 샀다.

91   앞 네크라인을 깊게 파서 입고 벗기에 편하며, 몸체에 달린 끈으로 허리를 둘러싸서 입는 블라우스.(옮긴이)

92   얼굴에 덮어 쓰는 선글라스.(옮긴이)

93   N.V.G.B.가 옴니움과 무슨 관계가 있는지는 요령부득이다. 무료 샘플도 안 준다.

수도 있다).[94] 퀘벡 사람들은 골초여서 이 부스는 짭짤한 수익을 올린다. 스타드 자리는 금연 구역이 하나도 없으며 경기 중에 뒤 모리에 담배를 줄담배로 피우는 관람객이 하도 많아서 이따금 관중이 내뿜은 연기구름이 산들바람에 실려 코트를 덮으면 구름이 올라가기 전 잠깐 동안 선수들의 모습이 진줏빛 실루엣으로만 보이기도 한다. 그리고—이건 정말인데—승인받은 언론사는 뒤 모리에를 '구입'할 필요가 없다. 기자석 담당 직원들이 언론인들에게 담배를 무료로 주기 때문이다. 이 사실을 떠벌리거나 호들갑을 떨지는 않지만.

캐나다가 미국이 아님을 상기시키는 것은 공공장소 흡연 같은 사소한 것들이다. 이를테면 프랑스어 광고, 또는 이런 광고에서 보여주는 미묘한 내숭조차 떨지 않는 태도. 라디송 데 구베르뇌르와 스타드 자리 사이 어딘가에는 퀘벡 아이스크림을 선전하는 거대한 광고판이 있다. 그것은 남근의 각도인 45도로 비죽 솟은 커다란 아이스크림 사진, 뻔뻔하게도 귀두를 닮은 아이스크림 돔이다. 아래에는 이런 선전 문구가 쓰여 있다. "Donnez—moi ta bouche.[95]" 맨 아래에 있는 브랜드 자체의 트레이드마크 슬로건은 "La glace du

---

94 뒤 모리에 담배는 호주의 스털링스Sterlings나 프랑스의 골루아즈Gauloise처럼 빨아들일 때는 풍부하고 날카롭고 파삭파삭하며 내뱉을 때는 달콤하고 부글부글한다. 하도 독해서 잠깐 동안 머리 가죽이 두개골을 떠나 연기구름을 타고 올라가는 느낌이 든다. 캐나다 오픈 관중이 매우 전반적으로 활기차고 너그럽고 점잖은 데는 뒤 모리에에 취한 것도 한몫하는 듯하다.

95 ="입을 주세요." 전혀 섬세하지 않다.

lait plus lechée"(가장 많이 핥는 아이스크림)이다. 마이클 조이스와 그의 코치가 해준 일 중에서 가장 근사한 것은 자기네 무료 렌터카courtesy car[96]에 나를 태우고 호텔과 자리를 오가면서 분위기에 흠뻑 젖을 수 있게 해준 것이다. 우리는 이 광고판을 하루에도 여러 번 지나친다. 급기야 내가 번쩍거리는 남근상 광고를 가리키며 저 광고가 좀 부담스럽고 노골적이고 뻔뻔하지 않으냐고 조이스에게 묻는다. 조이스가 광고판을 보더니—그는 차를 타고 있을 땐 대체로 통근자처럼 정면을 쳐다보면서 경기를 앞두고 마음을 다잡거나 서서히 긴장을 풀기 때문에, 저 광고를 본 것은 이번이 처음일 것이다—나를 돌아보며 진지하기 그지없는 말투로 바로 저 브랜드의 캐나다 아이스크림을 먹어봤는데 맛이 별로였다고 말한다.

게다가, 물론 본선이 시작되면 그동안 픽셀의 배열로서만 보던 유명 테니스 선수들을 가까이서 실물로 바라보게 된다. 화요일 본선 2회전의 백미 중 하나는 애거시 대 맬리비어 워싱턴의 경기를 관전하는 것이다. 워싱턴은 아서 애시 이후로 투어에서 가장 큰 성공을 거둔 흑인 미국인으로, 캐나다 오픈에서 시드를 받지 못했지만 세계 11위로 랭크되었

---

[96] 무료 렌터카는 현지 판매점에서 홍보 대가로 제공하는 고급 승용차다. 캐나다 오픈의 무료 렌터카는 BMW로, 전부 완전 새 차여서 글러브 박스 냄새가 나며 하도 비싸고 첨단이어서 계기판이 핵 반응로 제어판처럼 생겼다. 무료 렌터카를 운전하는 사람들은 대체로 일주일 휴가를 낸 현지인인데, 호텔과 코트 사이의 지겹도록 단조로운 코스를 왔다 갔다 하며 그 대가는 스타디움 경기 무료 입장권 몇 장, 그리고 프로 테니스 선수들과—적어도 그들의 짐과—팔꿈치를 비빌 기회다.

으며 요주의 인물이다. 나는 애거시를 열렬히 혐오하므로 이 경기는 흥미진진한 대결이다. 애거시는 깡말랐고 계집애처럼 생겼으며 밀어버린 머리와 베레모스러운 모자와 검은 신발과 양말과 듬성듬성한 염소수염 덕분에 소년원에서 갓 출소한 사람 같다(그가 여러 유급 이미지 컨설턴트의 도움으로 신중하게 결정했으며 계속 발전시키고 있음이 분명한 외모가 이 꼴이라니). 워싱턴은 암녹색 반바지에 암녹색 소매가 달린 빨간색 셔츠를 입었는데, 몇 해 전에 〈피플〉에서 '가장 아름다운 50인'으로 선정되었으며 텔레비전에서는 진짜 아름답지만 실물로 보면 황홀하다. 20미터 떨어져서 보면 인간이라기보다는 미켈란젤로의 해부학 스케치처럼 보인다. 웨이트 리프팅으로 다진 상체는 'V' 꼴이고 다리 근육은 휴식 중에도 울룩불룩하며 억센 혈관이 불거진 이두근은 작은 대포알이다. 그는 아름답지만 불운하다. 스타디움 코트는 느리기 때문에 세계적인 네트 플레이어를 제외하고는 애거시에 맞서 네트로 돌진하는 것이 비현실적이기 때문이다. 게다가 워싱턴은 네트 플레이어가 아니라 파워 베이스라이너다. 그는 뒤에 머물며 애거시와 그라운드스트로크를 주고받는다. 첫 세트는 타이 브레이크까지 가지만, 누가 봐도 대등한 경기는 아니다. 애거시는 워싱턴보다 덩치가 작고 구속이 느리지만 시력과 타이밍 덕에 훨씬 빠른 그라운드스트로크를 구사한다. 멀찍이 뒤에 서서 핵폭탄급 그라운드스트로크를 퍼부으며 워싱턴을 몰아붙여 치명적 범실을 유도할 수 있는 것이다. 애거시를 상대로 치명적 범실을 저지르는 방법은 두 가지다. 첫째는 일반적인 방법으로, 공을 선 밖으로 내보내거나 네트에 맞히거나 하는 것이다. 둘째는 베이스라인 안쪽으로 한 발짝 못 미치는 곳에 공을 때리는 것인데, 애거시는 공 쪽으로 전진할 수만 있으면 무조건 위너를 때려낼 수 있기 때문이다. 애거시의 얼굴 표정은 남들의 시선에 익숙하며 자신이 어디든 나타나기만 하면 다들 자신을 쳐다본다고 으레 생각하는 사람의 약간 젠체하는 자의식적 표정이다. 그가 경기하는 것을 직접 보고 있으면 경이롭지만 그가 워싱턴을 농락한다고 해서 그가 조금이라도 좋아지지는 않는다. 오히려 마치 악마가 경기하는 모습을 보는 것처럼 오싹하다.

텔레비전은 모든 사람을 엇비슷하게 만들며 밋밋하게 잘생겨 보이게 하지만, 몬트리올에서는 많은 프로와 스타가 재밌어 보인, 아니 심지어 대놓고 우스꽝스러워 보인다. 세계 1위였지만 지금은 쇠퇴기에 접어들었으며 이곳에서는 열 번째 시드를 배정받은[97] 짐 쿠리어는 텔레비전에서는 모자 쓴 하우디 두디Howdy Doody[98]처럼 생겼지만 여기서 보니 무척 거구다. '기드 메디아Guide Média'(언론사용 안내 자료)에 따르면 79

---

[97] 그는 16강전에서 미하엘 슈티히에게 꼴사납게 패한다. 마이클 조이스가 넉 달 전 키비스케인 립턴 챔피언십에서 꺾은 그 슈티히 말이다. 사실 조이스 자신도 다음 주 로스앤젤레스 인피니티 오픈에서 가족과 친구가 보는 앞에서 쿠리어를 완파하여 지금까지의 선수 경력에서 가장 큰 승리를 거뒀다.

[98] 미국 텔레비전 어린이 프로그램에 등장하는 꼭두각시 인형.(옮긴이)

킬로그램이지만 그보다 훨씬 우람하며, 크고 매끈한 근육에 마피아 청부업자 같은 걸음걸이와 표정의 소유자다. 세계 5위인 스물세 살의 마이클 창은 서로 다른 두 사람을 얼기설기 꿰맨 모습이다. 평범한 상체가 털럭 하나 없는 거대한 근육질 다리에 얹혀 있다. 머리통은 버섯 모양이고 머리카락은 칠흑 같으며 표정에는 심각한 난치성 불행이 묻어난다. 대학원 글쓰기 강좌를 제외하면 이제껏 본 것 중에서 가장 불행해 보이는 얼굴이다.[99] P. 샘프러스는 실물로 보면 치아와 눈썹밖에 안 보이며, 다리와 팔뚝에 털이 믿을 수 없을 만큼 무성한 걸로 보건대 등에도 털이 난 것이 분명하다. 우주의 축복과 은총을 적어도 100퍼센트 받지는 못했나 보다. 고란 이바니셰비치는 크고 까무잡잡하며 놀랍도록 잘생겼지만—적어도 크로아티아인치고는 잘생겼는데, 크로아티아인 하면 전란과 병마에 찌든, 뭉크의 석판화에 나올 법한 모습을 늘 상상했기 때문이다—하나도 안 어울리고 완전히 우스꽝스

---

99 창의 어머니가 이곳에 와 있는데—그녀는 남자 투어와 여자 투어의 무시무시한 테니스 부모Tennis Parents 중에서도 가장 악명 높은 여자로, 속옷을 검사한다며 남들 앞에서 아들의 테니스 반바지를 내렸다는 (그럴 만도 한) 소문이 있다—그녀가 코트 옆 가족석에 사제처럼 앉아 있는 것은 창의 태도와 플레이가 지독하게 침통한 것과 관계가 있는지도 모르겠다. 토마스 엔크비스트는 수요일 밤 준준결승전에서 창을 가볍게 물리친다. 그건 그렇고 엔크비스트는 옹졸하고 어딘지 설치류 같은 귀족적 분위기가 젊은 리처드 체임벌린과 오싹하리만치 닮았다. 영화 〈타워링The Towering Inferno〉의 리처드 체임벌린 말이다. 엔크비스트에게서 가장 좋은 점은 그의 여자 친구다. 그녀는 안경을 썼으며 좋은 포인트에서 박수를 칠 때면 볼썽사납게 의자에서 팔짝팔짝 뛰어 흥을 돋운다.

러운 바가지 머리 때문에 비틀스 카피 밴드의 멤버처럼 보인다. 이 이바니셰비치가 본선 2회전에서 조이스를 세 세트 연속으로 꺾는다. 체코에서 10위 안에 들었던 페트르 코르다는 쇄설암처럼 생긴 또 다른 부조화다. 191센티미터, 73킬로그램에 몸은 곧추선 그레이하운드 같고 얼굴은 으스스할 정도로 기이하게도 갓 부화한 병아리 같다(게다가 영혼 없는 눈은 빛을 전혀 반사하지 않으며 물고기와 새의 눈이 '보는' 식으로만 '보는' 것 같다).

그리고 여기 빌란데르가 있다. 보리의 후계자 마츠 빌란데르는 열여덟 살에 10위권, 스물네 살에 1위를 차지했으며 서른이 된 지금은 등외로 밀려나 1년 만에 투어 복귀를 노리고 있다. 여기서는 머리를 써서 승리를 따내는, 약삭빠른 노수부老水夫의 역할을 맡고 있다. 화요일 최고의 빅 매치는 빌란데르와 스테판 에드베리[100]의 경기다. 스물여덟 살인 에드베리는 빌란데르의 후계자[101]이며, 자신의 전성기에 빌란데르의 S.O. 아네테 올센과 결혼했다는 사실은 빌란데르가 3세트에 6-4로 승리한 이 경기에 흥미진진한 개인사를 겹친다.

---

100 에드베리는 금발 프로 골프 선수처럼 밋밋하게 잘생겼으며 ATP 투어에서, 어쩌면 전 세계에서 단연 지루한 사람으로 정평이 나 있다. 취미는 '면벽面壁'이며 그의 침묵은 절제의 침묵이 아니라 먹통 채널에서나 들을 법한 공허의 침묵이다.
101 지금 엔크비스트가 에드베리의 후계자처럼 보이는 것에서 알 수 있듯 … 스웨덴 테니스는 왕권 계승을 닮는 경향이 있다. 한 시대에 정말로 위대한 선수는 한 명뿐이며 이 선수는 늘 남성이고 늘 한동안 세계 1위를 한다. 이것은 홍보 담당자와 보증 광고 컨설턴트가 여름내 청상아리처럼 엔크비스트 주위를 맴도는 이유 중 하나다.

빌란데르는 준결승까지 승승장구하나 애거시를 맞아 내가 이제껏 프로 대 프로 경기에서 본 것 중에 가장 처참한 패배를 당한다. 점수는 6-0, 6-2이지만, 실제 경기 내용은 훨씬 일방적이다.

프로 테니스 경기를 직접 보는 것보다 훨씬 유익한 것은 조이스의 코치 샘 아파리치오와 함께 보는 것이다. 그는 내가 지금껏 이야기해본 누구보다 테니스를 잘 알면서도 테니스에 대해 악감정이 없다. 샘은 프로 경기를 즐겨 보면서 마이클에게 도움이 될 거리를 찾는다. 그와 함께 테니스를 관전하는 것은 영화의 기술적 측면에 대해 많이 아는 사람과 함께 영화를 보는 것과 같아서 혼자서는 볼 수 없는 것을 보게 해준다. 이를테면 파워 베이스라인 플레이의 전략에는 수많은 기하학적 하위수준이 있는데, 이는 모두 파워 베이스라이너의 강점과 약점에 좌우된다. 파워 베이스라이너의 관건은 베이스라인에서 위너를 때려낼 수 있어야 한다는 것이지만, 샘이 알려준 대로 보니 마이클 창이 위너를 때리는 경우는 양쪽 구석에서 예각으로 때릴 때뿐이다. 이에 반해 짐 쿠리어 같은 '인사이드아웃inside-out[102]' 선수는 중앙에서 양옆을 향해 둔각으로만 위너를 때릴 수 있다. 그래서 코치의 조언을 잘 받은 약삭빠른 선수들은 창을 상대할 때는 '가운데

---

[102] 포핸드로 역크로스를 때리는 것으로, 라켓을 몸에 붙였다가 공이 나갈 방향으로 스윙한다.(옮긴이)

로$_{down\ the\ middle}$' 몰고 쿠리어를 상대할 때는 '양옆으로$_{out\ wide}$' 몬다. 애거시가 그토록 훌륭한 선수인 이유 중 하나는 코트 어디서나 위너를 때려낼 수 있다는 것이다. 그는 기하학적 제약이 전혀 없다. 조이스도 샘에 따르면 어느 각도에서든 위너를 때릴 수 있다. 애거시처럼 절묘하게, 또는 자주 때리지 못할 뿐.

마이클 조이스를, 저녁을 먹거나 무료 렌터카에 타고 있을 때처럼 가까이서 실물로 보면 코트 위에서보다 왜소하고 젊어 보인다. 바짝 다가가면 제 나이로 보이는데, 내 입장에서는 핏덩이나 마찬가지다. 그는 175센티미터에 73킬로그램으로, 근육질이긴 하지만 근육이 울룩불룩하거나 선명하지는 않다. 낡은 티셔츠를 입고 캡을 거꾸로 쓰는 것을 좋아한다. 젊은이에게서 볼 수 있는 미묘한 형태로 머리가 벗어지고 있어서 이마가 약간 넓어 보인다. 귀고리를 걸었는지는 기억이 안 난다. 테니스 이외에 마이클 조이스의 관심사는 대부분 블록버스터 영화와 (비행기에서 읽는) 상업적 페이퍼백 장르 소설이다. 말하자면 테니스 말고는 관심사가 전혀 없다. 로스앤젤레스에 끈끈하고 오랜 우정을 나눈 지인들이 있긴 하지만, 그의 개인적 인맥은 대부분 테니스를 통해 맺어졌다는 느낌이다. 몇 명과 연애를 했으며 숫총각 여부를 알아내는 것은 불가능하다. 충격적이고 불가능하게 들리겠지만, 내 육감으로는 숫총각일 수도 있을 것 같다. 다시 말하지만 내게 그를 이상화하고 왜곡하려는 경향이 있었음을 인정한다. 그것은 그가 코트에서 무엇을 해낼 수 있는가에 대한 나의 느낌 때문이었다. 그의 선정적 발언 중에서 가장 의미심장한 것은 많은 군중 앞에서 경기할 때 얼어붙지 않고 거액의 돈이 걸린 포인트에서 위축되지 않는 기이한 자신감을 설명할 때였다.[103] 질문에 답하기 전에 대체로 약 다섯 박자를 쉬어야 하는 조이스는 자신감이 한편으로는 기질의 문제이고 다른 한편으로는 노고의 결과라고 생각한다.

"제가 술집 같은 데 있는데 진짜 예쁜 여자애가 있으면 신경이 조금 곤두설지도 모르겠네요. 하지만 제가 서 있는 경기장에 근사한 여자애 천 명이 있다면 그건 다른 이야기죠. 그땐 경기할 때 긴장이 되지 않습니다. 제가 뭘 하는지 아니까요. 저는 거기서 해야 할 일을 압니다." 그의 말을 인용하는 것은 이걸로 끝내는 게 좋겠다.

마이클 조이스가 10위 안에 들고 누구나 아는 선수가 되든 못 되든 그는 내게 오래도록 역설적인 매혹의 대상으로 남을 것이다. 그의 삶에 가해진 제약은 내가 보기엔 기괴했으며 어떤 면에서는 조이스 자신도 기괴한 인물이다. 하지만 그는 주의력과 자아를 극단적으로 압축하여 초월적 달인이 되었다. 이것은 극소수만이 도달하는 경지다. 그는 자신의 정신에서 대다수 사람들이 스스로에게 있는지도 잘 모르는

---

103 긴장과 위축은 테니스처럼 정확도와 타이밍이 중요한 스포츠에서는 중요한 문제다. 재능이나 욕구가 결핍되어 경기를 그만두는 주니어 선수보다 두통 때문에 경기를 그만두는 선수가 훨씬 많다.

부분들에 접근하고 그것을 시험할 수 있었으며 고통이나 탈진의 면전에서 끄집어낸 용기와 인내, 집요한 감시와 압박하에서 발휘하는 실력 같은 덕목을 구체적 형태로 보여주었다.

말하자면 마이클 조이스는 완벽한 사람이다(기괴하게 제한적인 방식을 통해서이긴 하지만). 하지만 그는 여기에 만족하지 않는다. 더 완벽해지려는 것이 아니다. 그는 덕목이나 초월의 관점에서 생각하지 않는다. 그가 원하는 것은 최고가 되는 것, 자신의 이름을 알리는 것, 프로 트로피를 머리 위로 치켜들고 언론을 위해 끈기 있게 사방으로 돌아주는 것이다. 미국인답게 그는 이기고 싶어 한다. 그는 승리를 원하고 승리의 대가를 치를 것이며―승리를 추구하기 위해서, 승리로 하여금 그 자신을 규정하도록 하기 위해서만으로도 대가를 치를 것이다―선택의 문제를 오래전에 떨쳐버린 사람처럼 후회 없이 활기차게 이를 감수할 것이다. 스물두 살인 조이스는 다른 일을 시도하기에는 이미 늦었다. 너무 많이 투자했고 너무 깊이 들어왔다. 내 생각에 그는 운이 좋기도 하고 나쁘기도 하다. 그는 자신이 진심으로 행복하다고 말할 것이다. 그의 행운을 빈다.

1995년

유에스 오픈의
민주주의와 상업주의

Democracy and Commerce
at the U.S. Open

지금은 9월 3일 1530h. 미국 여름의 닫는 괄호가 된 노동절 연휴의 일요일이다.[1] 하지만 노동절 연휴는 늘 유에스 오픈[2] 중간과 겹친다. 이때는 3회전과 4회전으로, 토너먼트의 알맹이이자 참호전과 다음절多音節 이름의 시기다. 지금 내셔널 테니스 센터 특별 스타디움—우뚝 솟은 육각형[3]의 동서남북에는 "1995 유에스 오픈—U.S.T.A. 주관—에 오신 것을 환영합니다"라는 현수막이 걸려 있다—에서는 선글라스와 모자의 내해內海가 일제히 일어나 코트에 입장하는—일과

---

1 미국의 노동절은 9월 첫째 월요일이다.(옮긴이)

2 "U.S.T.A. 주관."

3 사실, 그랜드스탠드 코트 별관을 셈에 넣으면 전체 모습은 목이 붙은 채 잘린 머리와 더 비슷하다.

에 따라, '노동'하려고—피트 샘프러스와 호주인 마크 필리
푸시스에게 박수갈채를 보낸다. 두 사람은 밝은 색의 커다란
운동용 가방을 들고 엄숙한 표정의 보안 요원들에게 호위를
받으며 등장한다. 박수 소리에 귀가 멀 지경이다. 코트 근처
인 이곳 아래쪽에서 올려다보면 스타디움은 거대한 웨딩 케
이크처럼 생겼다. 박스석의 완만한 언덕을 지나면 알루미늄
스탠드가 사방에서 거의 수직으로 솟아오르는 것처럼 보인
다. 어찌나 가파른지 위쪽 계단에서 발을 헛디디면 확실하고
도 끔찍한 죽음을 맞을 것만 같다. 주심은 인명 구조원 의자
처럼 생긴 의자에 앉아 앞쪽의 작은 금속제 발걸이에 신발
을 걸치고[4] 헤드셋 마이크와 레이밴 선글라스를 착용한 채
클립보드인지 노트북인지를 들고 있다. 데코터프 코트는 물
빠진 초록색 직사각형으로, 더 큰 물 빠진 초록색 직사각
형 안에 새하얀 선을 그어서 구별한다. 선수들이 코트를 동
서로 가로질러 각자의 캔버스 의자로 향하면 사진가와 카메
라맨이 파리 꾀듯 주위로 몰려든다. 선수들은 카메라에 아
주 친숙한 사람만이 할 수 있는 그런 태도로 카메라를 무시
한다. 관중은 여전히 일어나 박수를 보내고 있다. 2만여 개
의 파스텔 덩어리. 내 자리에서 세 좌석 건너편에서는 하늘

---

4   주심의 신발이 작은 금속제 발걸이를 디딘 채 높이 코트 위로 튀어나온 모습에
는 언제나 극도로 섬세하고 위태롭고 취약해 보이는 무언가가 있다. 하지만 권위와
위태로운 취약함의 조합은 테니스 심판이 전체 쇼에서 그토록 눈길을 끄는 이유 중
하나에 불과하다.

하늘한 밀짚모자를 쓴 여인이 휴대폰으로 통화하고 있고 옆의 남자는 팝콘 봉지를 든 채 박수를 치느라 봉지 우현으로 상당량의 팝콘을 유실하고 있다. 스타디움 남북 테두리 위에 세워진 득점판에는 에비앙의 네온 점묘화 광고가 번쩍거린다. 샘프러스는 구부정한 자세에 빈약한 가슴으로 땅을 향해 수줍게 미소 지으며 파우더블루powder-blue 반바지를 무릎 위로 펄럭거리는 모습이 어딘지 아빠 옷을 입은 아이 같다.[5] 필리푸시스는 연대기적으로 보면 진짜 '아이'인데 샘프러스 옆에서 걷고 있으니 우람하고 혈기 왕성해 보인다. 필리푸시스는 193센티미터에 90킬로그램을 넘으며 덩치 큰 사람이 성큼성큼 걷지 않으려고 할 때 같은 비둘기 종종걸음으로 코트를 가로지른다. 젊은 호주인들이 무척 좋아하는 빨간색과 흰색의 줄무늬사탕 필라 셔츠 차림이다. 오후의 태양이 머리 위 서남서쪽 하늘에 떠 있고 공기가 하도 맑아서 태양이 연소하는 소리가 들릴 듯하다. 서쪽 계단석 꼭대기까지 들어찬 관중의 작은 머리통은 태양의 둥근 바닥에 닿을 만큼 가까워서 금방이라도 불이 붙을 것만 같다. 선수들이 기

---

5   마이클 조던과 NBA의 펑퍼짐한 상의와 버뮤다팬츠Bermuda pants(남녀가 놀이용으로 입는, 무릎 위까지 오는 반바지. 버뮤다 제도의 원주민들이 입던 복장에서 유래한다_옮긴이)만큼 긴 반바지가 테니스에 침투한 것은 분명한 사실이다. 본선 진출자 128명 중에서 절반 이상이 몇 치수 큰 옷을 입고 있는데, 샘프러스처럼 기본적으로 앙상하고 수심에 찬 표정의 선수에게서는 멋지다기보다는 불쌍해 보이는 효과를 낳는다. 물론 애거시의 투박한 검은색 신형 운동화(이것도 농구 패션에서 도입되었다)만 한 시각적 참변까지는 아니지만.

다란 가방을 털썩 내려놓고 안을 뒤적이기 시작한다. 라켓은 비닐에 들어 있어서 비닐을 벗겨내야 한다. 그들은 작은 의자에 앉아 고개를 세운 채 라켓 면을 서로 부딪치며 줄의 음높이를 듣는다. 주위의 카메라맨이 주심의 지시에 뱀이 똬리 풀 듯 해산한다. 볼보이들은 선수의 의자 밑에 떨어진 쭈글쭈글한 라켓 비닐 조각을 줍는다.

내 바로 아랫줄에서 옆걸음으로 자기 자리를 찾아가는 여인이 입은 셔츠는 인생이 짧으니 열심히 놀아야/경기해야 한다고 모든 관람객에게 조언한다. 그녀가 팔로 안은 남자는 미국 통화 이미지로 장식된 (너무 큰) 디자이너 티셔츠를 입었다. 단호한/쾌활한 안내원이 줄 가운데서 그들을 제지하고 입장권을 검사한다. 퀸스 자치구의 구민 1500명이 오늘 오픈에 고용되어 있다. 노동절 연휴의 노동. 스타디움 터널을 가로질러 뻗은 굵은 사슬 옆에 선 안내원들은 모두 치노 chino[6] 바지와 버튼다운 셔츠를 입고 있다. 보안 요원들(모두 덩치가 크고 남성이며 목과 미소는 도무지 못 찾겠다)은 배를 강조하지 않는 레몬노란색 니트 셔츠 차림이다. 껌은 보안 요원에게 지급되는 물품 중 하나인 듯하다. 볼보이[7]는 파란색과 흰색 필라를 입었으며, 빨간색과 검은색 세로 줄무늬 (필라) 셔츠

---

6   면사로 짠 능직물의 하나. 튼튼하고 관리가 쉬워 스포츠 의류나 작업복에 많이 사용한다.(옮긴이)

7   이곳에서는 사실 볼-대학원-학생에 가까워 보이는데, 몇 명은 귀고리를 하고 다리에 털이 났으며 남쪽의 한 명은 생강색 수염이 덥수룩하다.

차림의 선심과 주심은 최신 유행의 인기 스포츠 심판처럼 보인다. 스타디움의 수용 인원은 2만 명이라고 하는데, 현재 관중은 적어도 2만3000명으로 대부분 피트를 보러 왔다. 서 까래가 있었다면 사람들은 매달렸을 것이며, 경기가 끝나기 전에 비명을 지르며 계단에서 굴러떨어지거나 벽 너머로 넘 어지는 대형 사고가 발생하지 않는다면 놀라울 것이다. 여기 코트 근처 아래쪽의 관중은 대부분 어른스럽고 사업가다운 사람들인데―박스석과 값비싼 하단 스탠드에는 넥타이, 맨 발 로퍼, 말쑥한 슬랙스, 팔 부분을 가슴 앞에서 묶은 스웨 터, 밀짚모자, 엘엘빈L.L. Bean 낚시 모자, 기업명이 새겨진 흰색 캡, 보석 박힌 머리띠, 하이힐, 화사하고 여성스러운 햇빛 가 리개 모자가 있다―패션 탐구자의 시선이 (점차 저렴해지는 좌 석을 지나쳐) 위로 또 위로 올라갈수록 복장이 점점 캐주얼해 지다가 아찔한 꼭대기 구역의 계단석에서는 뉴욕시 스포츠 행사에서 더 흔히 볼 수 있는 망사 셔츠와 맥주 모자와 아이 스박스와 즉석 타구唾具, 홀터톱과 형광 매니큐어와 고무 슬 리퍼가 보이고 이따금 뉴욕 관중의 소음이 머리 위 높은 곳 에서 떠내려온다.[8] 하지만 듣자 하니 올해 오픈 입장권의 50

---

8   내가 알기로 오픈의 관중은 시끄럽고 천박하고 대체로 사이코인 것으로 정평이 나 있지만, 노동절 대다수 경기의 관중 대부분은 집에 데려가 가족에게 자랑스럽게 소개할 수 있을 만한 사람이라고 말할 수 있다. 스타디움 계단석 꼭대기에서 이따금 끔찍한 소리가 울려 퍼지기도 하지만, 대개는 전화를 못 받았거나 극악무도한 만행 이 저질러졌을 때뿐이다.

퍼센트 이상은 기업에 사전 판매되었다고 한다. 이 기업들은 고객 서비스나 자사 임원의 위락을 위해 입장권을 쓰고 싶어 하며 이곳 아래쪽 스타디움 관중에게는 (정의할 수는 없지만) 코네티컷 번호판과 매우 푸른 잔디밭을 강하게 암시하는 무언가가 있다[9]. 한마디로 이날 헤드라인 경기의 사회경제적 분위기는 노동보다는 경영에 가깝다.

선수들의 파라솔과 의자와 에비앙 로고가 붙은 커다란 음료수 통은 스타디움 서쪽 절벽 면 아래쪽 주심석 양쪽에 있는데, 이곳에는 머리 위의 사람들이 머리를 움직일 때마다 물결치는 길고 가느다란 조각 그늘이 있고 그늘 안은 서늘하지만—근사한 파란색 코르덴 스리피스를 입고 거대한 솜브레로sombrero[10]처럼 생긴 것을 쓴 거구가 옆에서 그늘을 드리운 덕에 나도 서늘하다—햇볕은 여름 햇볕이고 1535h.의 스타디움 서쪽 흉벽 위로 약 40도에 위치한 태양은 (앞에서 말했듯) 폭발하고 있다. 스타디움 동쪽 옆구리에 붙은 그랜드스탠드 코트는 널리 알려진 오후 그랜드스탠드 그림자에 칼로 벤 듯 잘렸는데, 짐 쿠리어는 지금도 이 그림자를 이용하여 라켓Racquets(그랜드스탠드의 서쪽 옆구리를 스타디움의 동쪽과 분리하는 벽에 들어선, 들어가는 것이 불가능한 유리 레스토랑)의 식사 손님과 6000여 명의 관중이 고스란히 보는 앞에서 케

---

9   코네티컷은 미국에서 가장 부유한 주로 꼽힌다.(옮긴이)
10   에스파냐, 멕시코, 미국 남부 등지에서 쓰는 중앙이 높고 챙이 썩 넓은 모자.(옮긴이)

네스 카를센을 생체 해부하고 있으며 이 관중의 민족주의적 휘파람과 박수 소리는 스타디움의 음장音場에 침투하여, 공을 주고받으며 몸을 푸는 샘프러스와 필리푸시스에게 일종의 초현실적으로 부조화스러운 배경 음악을 연주한다. 샘프러스는 진정한 최상급 프로라면 다들 그렇게 몸을 풀듯 무심한 경제성—먹이사슬 최상위에 있는 동물의 차분한 태평함—을 발휘하여 공을 때린다. 윔블던 우승자가 있다는 것 말고도 이번 3회전에는 특별한 낭만이 있다. 그리스인이 두 명 출전하여—실은 둘 다 그리스 출신이 아니지만—포스트 모던 펠로폰네소스 전쟁을 벌이기 때문이다. 패트릭 래프터의 복식 파트너로, 아직 열여덟 살밖에 안 되었으며 투어 첫해인 올해 100위 안에 랭크된 잠재적 슈퍼스타이자 현실적 우상[11]인 필리푸시스는 샘프러스를 약간 닮았지만—똑같이 한 손 백핸드를 구사하고 포핸드 백스윙에서 살짝 루프를 그리며 똑같은 카페오레 피부색에 송충이 눈썹을 하고 칠흑 같은 머리카락이 땀으로 번들거린다—발이 느리며 샘프러스가 뼈가 없는 듯한 기묘한 은총을 받은 것과 대조적으로 뻣뻣해 보이고 덩치가 무시무시하게 크며 어깨는 허리가 부실

---

11 올해 호주 오픈의 여성 관중은 래프터나 필리푸시스가 등장할 때마다 비명을 지르고 기절하고 비틀스 광팬 같은 신파를 연출했다. 그들이 코트에서 엄청나게 잘생긴 것은 사실이지만, 마크 필리푸시스를 가까이서 들여다보면 개비 사바티니(가브리엘라 사바티니)와 놀랍도록 흡사한 것 또한 사실이다—여기서 '놀랍도록'이라는 말은 걸음걸이와 턱선, 실존적 모욕을 당한 듯한 표정까지도 꼭 빼닮았다는 뜻이다.

한 거구의 어깨처럼 떡 벌어졌다. 게다가 몸풀기에서조차 있는 힘껏 공을 때리는 것을 보면 그에게는 해결을 요하는 공격성 문제가 있는 듯하다. 그는 짐승처럼—필리푸시스를 보면 정말 그런 생각이 드는데—스파르타인처럼 생겼다. 크고 느린, 기계 같은 파워 베이스라이너[12]로, 눈에는 싸늘한 적의가 감돈다. 그와 맞서는 샘프러스는 정확히 문볼을 구사하지는 않지만 허약하고 지적이고 (슬기롭고 슬픈) 시인처럼 보이며 민주주의만이 그렇게 지칠 수 있는 듯한 방식으로 지쳐 보인다. 그의 표정은 몬트리올과 신시내티 등에서 여름내 그를 괴롭힌 야릇한 윔블던 이후 우울감으로 가득하다. 마르셀로 리오스에 맞선 토마스 엔크비스트의 전설적인 2-6, 6-2, 4-6, 6-3, 7-6, (7-5) 1회전과 코레샤에 맞선 애거시의 2회전 신승도 있었지만, 민족적으로 동일하고 원형적으로 구별되는—경기 스타일뿐 아니라 삶, 상상력, 힘의 구사 … 물론 경제적 이해관계에서도 정반대인—적수가 맞붙는다는 점에서 이제 벌어질 경기야말로 이번 오픈의 클라이맥스로 손색이 없다.

　스타디움 코트의 네 벽을 덮은 것은 일종의 타프인데[13], 색은 수영장물파란색chlorine-blue이고 그 위에는 코트를 빙 둘

---

[12]　유에스 오픈의 느린 데코터프는—공을 더 느리게 하려고 연마재를 더 섞었다는 소문이 파다하다—애거시와 쿠리어 등의 파워 베이스라인 플레이에 유리하다. 심지어 에드베리와 크라이첵 같은 친親네트파netophile까지도 첫 두 라운드 내내 뒤에 머물며 강타를 날렸다.

러 후지필름, 〈레드북〉 잡지, 매스뮤추얼, 유에스 오픈 95—
U.S.T.A. 주관, 카페 드 콜롬비아(후안 발데스와 단짝 당나귀의
온전한 흰색 윤곽이 점선으로 표현되어 있다), 인피니티, 탬팩스
등의 흰색 고유명사가 쓰여 있다.[14] 프로 테니스는 언제나 국
제 스포츠로 불리지만, 그보다는 '초국적' 스포츠라 부르는
것이 더 정확할 것이다. 재무 측면에서 보자면 크디큰 대기
업들의 마케팅 부서인 셈이다. 이는 아이비엠과 버지니아 슬
림처럼 투어를 후원하는 거대 재벌에 국한되지 않는다. 대

---

13 유에스 오픈 집행위는 세계적 경기에 걸맞은 시각적 배경을 고르는 감이 있다.
올 7월 몬트리올 뒤 모리에 오픈 때 스타디움 코트에서는 북쪽 끝의 계단석을 노랗
게 칠해서 선수들에 따르면 그쪽에서 오는 공을 추적하기 힘들었다고 한다. 반면에
N.T.C.의 스타디움은 파란색 타프와 흰색/회색 의자를 배치했으며 심지어 계단석도
선명한 빨간색이다. 코트 옆에서 첩보원 같은 매서운 눈빛으로 팔짱을 낀 채 서 있
는 보안 요원의 노르스름한 셔츠를 제외하면 색채 스펙트럼 상의 노랑-초록 구간
에 근접한 색깔조차 없다. 그나저나 이곳의 보안이 철통같은 것은 셀레스가 당한 사
고 때문일 것이다(모니카 셀레스는 1993년 독일 함부르크 오픈에서 관중의 칼에 등
을 찔렸다_옮긴이).

14 프로 테니스 코트 둘레의 타프 광고는 지하철 광고 비슷한 역할을 하는 듯하
다. 지하철 광고는, 지하철로 이동할 때 무료한 경우가 많고 볼거리가 필요하다는 사
실에 착안했으며—창문은 대체로 어두컴컴하며, 지하철에서 딴 사람을 빤히 쳐다보
는 것은 상대방이 여러 의미로 해석할 수 있는데 그중에는 불편하고 심지어 위험한
의미도 있다—창문 위는 눈을 쉽게 하려고 자연스럽게 시선이 가는 장소이므로 대
개 주목을 많이 받는다. 테니스도 포인트와 포인트 사이의 시간, 홀수 게임 사이의
엔드 교대 등 무료한 때가 아주 많기에 시선을 돌릴 곳이 필요하다. 게다가 경기 중
에 타프는 선수 바로 뒤의 시각적 배경 역할을 하며 시선과 카메라는 늘 선수를 좇
기에—텔레비전에서도 마찬가지다—카메라가 샘프러스를 좇을 때 그의 뒤에 여러
분 회사의 이름이 보이도록 하는 것은 회사를 시각적으로 부각하고 회사 이름을 샘
프러스와 또한 테니스 및 탁월성 전반과 연관시키는—심지어 무의식 차원에서도—
등의 방법이다. 이 모든 수법은 심리학적으로 볼 때 어마어마하게 정교하고 약삭빨
라 보인다.

다수 프로 선수들의 수입에서 알짜는 제품 보증 광고에서 나온다. 프로 대회와 관계된 사실상 모든 장소와 장비에 보증 광고가 붙어 있다. 심지어 대다수 프로 토너먼트의 공식 명칭에는 '명칭 후원사'로 낙찰된 기업 이름이 들어간다. 올해 캐나다 오픈은 (캐나다 담배 회사인) '뒤 모리에 유한회사 오픈', 뮌헨 오픈은 'BMW 오픈', 뉴헤이번은 '볼보 인터내셔널'(이듬해에는 '파이롯트 펜 인터내셔널'이 될 예정이다), 신시내티는 '스리프트웨이 ATP 챔피언십' 등이다. 유에스 오픈[15]은 그랜드슬램 대회이자 전국 선수권 대회여서 뮌헨이나 몬트리올과 달리 명칭 후원사가 없지만, 이 때문에 대회가 비상업화되기는커녕 토너먼트의 그랜드슬램 지위를 활용하여 현기증 날 정도로 많은 상업적 보조금을 긁어모은다. 유에스 오픈은 토너먼트뿐 아니라 토너먼트의 온갖 개별 '이벤트'에도 각각 공식 후원사가 있다. 인피니티는 남자 단식을, 〈레드북〉은 여자 단식을, 매스뮤추얼은 주니어 남자 대회를 후원하

---

15 각주 2번을 다시 보라. 내가 강하게 받은 인상은 어느 공식 석상에서나 '유에스 오픈'이라고 말할 때는 'U.S.T.A. 주관'이라는 말이 반드시 따라붙는다는 것이다. 이제부터는 U.S.T.A.의 홍보성 부연 설명을 암묵적인 것으로 취급하도록 하자. 말끝마다 'U.S.T.A. 주관'을 붙이고 싶지는 않다. 미국테니스연맹은 연간 운영 수익의 75퍼센트가량을 유에스 오픈에서 얻으며, 자신의 이름을 토너먼트의 옆구리에 빨판상어처럼 붙이고 싶어 하는 것도 이해할 만하다. 하지만 'U.S.T.A. 주관'을 끊임없이 사방에서 주입받는 것은 내게 피곤한 일이었으며 무차별적 자기 홍보가 부담스러운 것처럼 부담스러웠다. 정문의 회전문에서 서서 저녁 경기를 보러 들어가는 수많은 사람들이 정문 위의 커다란 표지판을 가리키며 '어스터USTA'가 대체 뭐냐고—버스터buster나 커스터Custer의 보스턴식 발음으로 운을 맞추며—서로 묻는 것을 보면서 일종의 짓궂은 희열을 느꼈음을 고백한다.

는 식이다.[16]

　주심이 경기 시작을 선언하자 샘프러스가 서브 준비를 끝내고는 토스의 업스윙에서 앞발 발가락을 드는 특유의 동작을 취한다. 샘프러스 경기를 실제로 본 것은 이번이 처음이다. 그는 텔레비전에서 보는 것보다 훨씬 아름다운 운동선수다. 남달리 장신이거나 근육질이지는 않지만 그의 서브는 효과 면에서 바그너에 가까우며 이렇게 가까이서 보면 그것은 샘프러스가 유연성과 타이밍을 마법적으로 혼합하여 등

16　온갖 후원사의 명칭은 내셔널 테니스 센터 정문 바로 안쪽의 커다란—'아주' 커다란very big—파란색 게시판에 붙어 있으며 규모가 큰 대회의 '대표 후원사present-ing sponsor'(자사의 브랜드 인지도를 높이기 위해 경쟁 브랜드를 배제하고 명칭 후원사의 25퍼센트 정도를 지불하는 후원사_옮긴이)가 왼쪽에 거대한 대문자로, 군소 대회—35세 이상 남자 복식, 혼합 복식 마스터스—의 대표 후원사는 오른쪽에 작은 대문자로 쓰여 있다. 한편 적당한 장소에서 매점을 운영하고/하거나 구내에서 홍보 부스를 운영하고 기업 홍보 코너로 고객을 초청할 장소를 얻는—거기에다 v.b. 파란색 게시판에 이름을 싣는—대가로 수수료를 지불하는 것 말고 어떤 역할을 하는지 불분명한 후원사들도 있다. 표지판 전체의 구성은 다음과 같다(실제 크기는 훨씬 크지만). 가운데에는 (당연히) '1995 유에스 오픈—U.S.T.A. 주관'이 있고 왼쪽에는 인피니티, 〈레드북〉, 프루덴셜 증권, 체이스 맨해튼, 후지필름, 매스뮤추얼이 있으며 오른쪽에는 아메리칸 익스프레스, AT&T, 벤 프랭클린 크래프츠, 카페 드 콜롬비아, 캐논, 시티즌 시계 회사(시티즌은 관전 코트의 모든 현재 시각 시계와 경기 진행 시간 시계에도 자사의 명칭을 붙였다), 에비앙 천연 샘물, 필라 유에스에이, 하겐다즈, 하이네켄, 아이비엠, 케이스위스, 〈뉴욕 타임스〉(좀 의아하다. 올해 토너먼트가 정말 지루하거나 진행이 부실하거나 무슨 부정이 있거나 했을 때 과연 객관적이거나 집요하게 보도할 수 있겠나), 나이넥스, 펩시콜라, 소니, 탬팩스(버지니아 슬림이 정치적으로 올바르지 않다는 이유로 마침내 여자테니스협회WTA 후원에서 배제되자 투어의 신규 후원사가 되겠다고 입찰했으나 거부되었는데, 이유가 공표되지는 않았지만 아마도 흥미로울 것이다), 티파니 앤드 컴퍼니, 윌슨 스포츠 용품, 유서 깊은 〈테니스〉(〈뉴욕 타임스〉사의 소유이기 때문에, 〈타임스〉는 교묘하게 게시판에 두 번 등장한다), 그리고 정체를 알 수 없는 VR 코퍼레이션이 있다.

과 몸통을 전부 서브에 활용하기 때문이요—그의 온'몸' 스냅은 손목 스냅만큼이나 자연스럽다—그가 서비스 동작을 시작하면서 앞발 발가락을 들고 궁수처럼 라켓 너머를 주시할 때의 구부러지고 꼬인 동작과도 관계가 있음을 알 수 있다(이 일련의 동작은 텔레비전에서 보면 틱 환자나 기인처럼 보이지만 실제로 보면 온몸이 하나의 기다란 근육처럼, 성난 뱀장어가 몸부림칠 준비를 하는 것처럼 보인다). 필리푸시스는 포인트 중간중간에 제자리에서 살짝 춤추는 것을 좋아하는데—필요할 때 움직일 수 있다는 사실을 스스로에게 상기시키기 위해서인지도 모르겠다—무표정하게 서비스를 기다린다. 그의 머리띠는 줄무늬사탕 셔츠와 잘 어울린다. 득점판 화면에는 번쩍거리는 광고 대신 점수가 표시되어 있다. 득점판마다 필리푸시스의 이름이 가로줄을 다 잡아먹는다. 스타디움과 그랜드스탠드를 나누는 벽(그러니까 우리에게는 동쪽 면) 꼭대기에 이쪽 끝에서 저쪽 끝까지 기자석이 이어지는데, 기본적으로 세상에서 가장 큰 이동식 주택처럼 생겼다. 색유리 창문은 오후 햇빛을 막으려고 죄다 내렸다. 처음 두 포인트는 서브 에이스와 서비스 리턴 위너로 났고 세 번째의 긴 랠리는 필리푸시스가 백핸드 코너(에서 살짝 어긋난 곳)에 접근하고 샘프러스가 짧은 각도의, 놀랄 만큼 묵직한 톱스핀 쇼트볼 앵글샷angle shot[17]을 필리푸시스 옆으로 애드 서비스 코트에 꽂아넣음으로써 마무리된다. 샘프러스의 백핸드가 얼마나 매서운가는 텔레비전으로 잘 전달되지 않는다. 그의 라켓 머리

컨트롤은 양갈비 같은 팔뚝을 가진 우람한 클레이 코트 플레이어와 더 비슷하며 톱스핀은 어찌나 강력한지 패스가 마치 물건 떨어뜨리듯 뚝 떨어질 때 공의 형태가 일그러진다. 사악하지만 사이보그 같은 필리푸시스는 아직 표정다운 표정 같은 것은 조금도 내비치지 않았다. 땀도 흘리지 않는 듯하다.[18] 내 바로 옆줄의 노인 두 명이 낮은 어조로 샘프러스를 '피티Petey'라는 호칭으로 연호한다. 가족의 친구나 뭐 그런 게 아닐까 하는 생각을 떨칠 수가 없다. 그리고 기자석 위에 라디오 방송국 송신 안테나 높이로 우뚝 솟은 것은 1995 유에스 오픈 자체 광고다. 이것은 N.T.C. 스타디움의 초대형 코트를 둘러싼 관중을 묘사한 거대한 점묘화 파스텔 인쇄물로, 시점이 묘하게 축소되었는데, 유명한 맨해튼 스카이라

---

17 서비스라인이나 50~70센티미터 정도 베이스라인 쪽으로 각을 많이 주는 샷.(옮긴이)

18 샘프러스의 또 다른 귀여운 면은 아기옷파랑baby-blue 반바지의 (요실금을 연상시키는) 낯 뜨거운 부위에서 늘 땀을 흘려—즉, 시간이 지나면 국부의 정확한 형태와 크기에 해당하는 부위만 상대적으로 말라 있고 반바지의 나머지 윗부분 전체가 땀으로 젖는다—자신의 국부 보호대 끈이 어디 있는지 온 세상에 알린다는 것이다. 이것은 텔레비전의 흐릿한 화면으로도 포착할 수 있으며, 내가 이 광경을 이토록 좋아하는 이유는 샘프러스에게 인간미를 부여하고 (그가 경기에서 보여주는 순전한 초자연적 아름다움은 할 수 없는 방식으로) 나를 그와 동일시할 수 있도록 해주기 때문인 듯하다. 다른 초월적 선수들에게도 비슷한 인간적 결함이 있는 것 같다. 매킨로는 비이성적으로 화를 냈고, 렌들과 나브라틸로바는 이따금 너무 짜증을 부리고 답답해하는 바람에 마치 뇌성마비 환자처럼 보이고 그들의 공은 네트에 도달하기도 '전에' 땅에 떨어졌으며, 코너스는 코트 위에서 국부 보호대 속의 고환을 마치 어디에 있는지 늘 알아야겠다는 듯 강박적으로 만지며 자리를 잡았다.

인이 바로 뒤에서 진짜 퀸스 플러싱[19]에서는 그럴 리 없는 모양으로 부풀어 있다. 광고판 위와 너머에는 거대한 호박처럼 생긴 후지사 비행선이 저 멀리 내가 뉴욕시 근방에서 이제껏 본 최고의 여름 하늘을 짙푸른 배경 삼아 느릿느릿 떠다닌다. 95 오픈의 노동절 공기는 습하지 않은 20도 후반이고 햇볕이 따갑고 산들바람이 가볍고 하늘이 색 입힌 영화처럼 과장된 파란색일 뿐 아니라 하늘의 공기는 '맑고' 빨랫줄에 널어 말린 빨래 냄새처럼 상쾌하고 산뜻하고 감미로운 향기가 나는데, 그 결과로 한 달간 비가 오지 않았을 뿐 아니라[20] 이번 주말에는 괴상한 고기압 전선이 노바스코샤의 상층부 대기에서 남서쪽으로 소용돌이치며 산화물과 뉴욕시 특유의 냄새를 뉴저지로 밀어 보낸다. 스타디움의 공기 사발은 스탠드 위로 올라갈수록 상쾌하고 산뜻해지는데, 나중에는 계단석 꼭대기 줄에서 누군가 몰래 들여온 미켈럽 아이스박스 위에 서서[21] 기자석 가장자리를 지나 정동正東의 벽 너머로

오십시오 원점으로 돌아온 것을 환영합니다

1995 US. 오픈—U.S.T.A.—에

---

19 맨해튼에서 동쪽으로 20킬로미터가량 떨어진 교외 주거 지역.(옮긴이)

20 마이클 창의 리무진 운전사에 따르면 뉴욕에서 한 세기 내 가장 오랫동안 비가 안 온 것 같다고 했다. 그 말이 사실인지 아니면 뉴요커들이 창가 화단에서 국화 mum에 물 주기를 금지당하고 있는지는 모르겠지만, 지금까지의 토너먼트를 통틀어 우천으로 인한 연기가 한 번도 없었으며 CBS와 U.S.T.A.의 고위층이 득의양양에 준하는 정도의 흡족한 표정으로 돌아다니고 있다는 것은 알겠다.

라고 쓴 커다란 간판 너머로 내려다보면 그들이, 관중이, 1615h.인 지금도 뱀 같은 거대한 덩어리가 들어오고 있는 것이 보인다. 이렇게 멀리서 보면 긴 여름 주말 햄턴스Hamptons[22]로 피서 가지 않은 뉴욕 시민이 죄다 몰려온 듯하다. 유에스 오픈은 뉴욕시로서도 큰 행사다. 딩킨스 시장—오로지 유에스 오픈을 위해 라과디아 공항의 항공기 착륙 항로를 변경한 바로 그 딩킨스—은 연임에 실패했지만, 루디 줄리아니 시장의 뉴욕에서도 평소에는 테니스처럼 귀족적인 비접촉 스포츠에 관심을 주지 않던 도시가 두 주일 동안 대회에 흠뻑 빠져든다. 바우어리 바에서는 (빌린 게 아닌) 턱시도 차림의 서른 살 차익 거래 중개인들이 각종 남자 경기를 분석하고 셀레스의 활동 중단이 복귀 이후의 보증 광고 계약에 어떤 영향을 미칠지 저울질한다. 크로아티아 도어맨들은 이바니셰비치의 조기 탈락을 애석해한다. 지하철에서는 가죽 옷 차림에 형광색 머리를 한 거친 언니들이 그라프와 셀레스

---

21 스타디움에서 위로 올라가는 것은 과정은 다음과 같다. 순서대로 진파랑 좌석—진짜 플라스틱 의자, 박스석—10열, 연파랑 좌석 15열, 눈에 띄게 불편해 보이는 회색 플라스틱 성형 좌석 18열, (이쯤 되면 계단이 하도 가팔라서 어린아이가 계단을 올라가는 심정인데) 몇 열인지 모를 단순한 빨간색 계단석을 지나면 이곳은 거꾸로 쓴 메츠 캡과 문신, 끈을 묶지 않은 하이톱 운동화, 끼룩끼룩거리는 굵은 브루클린 억양, 계단석 통로의 시멘트 바닥에서 탁탁 소리를 내며 바람에 뒹구는 수많은 텅 빈 리커 바Liquor Bar 컵의 땅이다. … 여기까지 오르면 귀에서 정말로 빵 소리가 나고 O2가 희박해지고 아래쪽 코트 전경이 마치 마천루에서 내려다보듯 오싹해지고 선수들은 벌레처럼 보이고 역겨운 꼴로 몰려다니는 관중 때문에 경기장의 전체 구조가 살짝 들썩이고 흔들리는 느낌이다.

22 사우스햄턴과 노스햄턴.(옮긴이)

와 그누구더라이름에처녀막[23]이있는 스페인 선수[24]가 승산이 있을지는 몰라도 은퇴 전 마지막 경기를 벌이는 미국의 지나 G.를 결코 빼놓을 순 없다는 데 의견의 일치를 본다. 아니면, 이를테면 애거시가 코레샤를 상대로 5세트 복귀전을 치른 이튿날인 9월 1일 금요일에 라과디아 공항에서 경기장으로 향하는 그레이라인 관광버스에서 레바논인 기사는 시가를 씹는 생면부지의 나이 든 승객과 대화를 나누며 애거시의 (인간으로서의) 재활에 대한 평가로 한마음이 된다.

"버릇없고 시건방진 놈이었지. 무슨 말인지 아시죠?"

"성숙했다는 말씀 아니오? 지금이야 사내 다 됐지."

"제 말은 어젯밤 경기 정말 대단했다는 겁니다."

"예전에는 형편없는 녀석이었죠. 이제는 성숙했지만요. '사람' 다 됐어요."[25]

하지만 그래서 그들이 오고 있는 거다. 어제는 4만 명, 오늘은 4만1000명이 입장권만 구할 수 있다면 25~30달러라

---

23 들은 그대로 적었음. 농담 아님.

24 '처녀막hymen'은 하이픈hyphen을 얼렁뚱땅 발음한 것으로, 스페인어의 액센트 부호를 가리키는 것으로 보인다.(옮긴이)

25 1995년식 사이버 스포츠머리cybercrewcut, 검은색 운동화, 프랑스 레지스탕스 전사풍의 기이한 새 셔츠 차림의 애거시는 올해 오픈에서 남성 팬들에게 인기가 부쩍 늘었으며 여성 팬들에게 발휘하는 성적 매력은 아주 약간만 줄었다. 애거시의 섹스 심벌화는 내가 아는 대다수 남성에게 심오한 미스터리 현상이다. 애거시가 실제로는 왜소한 몸, 곱상한 얼굴에 기이한 형태의 두개골(스포츠머리 때문에 더 두드러져 보인다), 팬티가 말려 올라간 어린 학생처럼 종종거리는 비둘기 걸음의 소유자임을 누구나 똑똑히 알 수 있음은 모두 동의하는 바 아닌가. 애거시가 여자들을 끌어당기는 비결은 도무지 설명이 되지 않는 수수께끼다.

도 기꺼이 낼 각오다.[26] 그들은 어두컴컴한 IRT 지옥철을 타고 7호선 종점인 셰이-윌레츠 역까지 온다. 밴와이크·롱아일랜드·화이트스톤 도시고속화도로, 인터버러 도로, 그랜드센트럴 공원 도로, 크로스 베이를 통해 노스이스트 퀸스에서 합류하는 이들은 두둑한 현찰과 주차기에 맞는 동전 대용품 메달을 가지고 온다. 리무진이나 택시, 버스를 타고 36번가—터널 도로나 59번가—퀸스버러교 도로를 향해 노동절 맨해튼의 텅 빈 골짜기를 누빈 뒤에 노던불러바드를 따라 영원히[27] 올라오는 도시 주민들은 아이스박스와 담요와 라켓과 (자이언츠GIANTS와 제츠JETS가 새겨진) 방석과 선크림과 작년 오픈의 기념품 모자를 가지고서, 선회하는 항공기들 아래로 랜드마크—인근 셰이 스타디움의 납작한 중성자파랑 neutron-blue 고리나 플러싱메도 코로나 파크Flushing Meadow Corona Park[28]의 내셔널 테니스 센터와 인접한 1939년 만국 박람회장의 거대한 혼천의渾天儀와 팅커토이Tinkertoy 탑, (남남서에서 오고 있다면) 신축된 뉴욕 종합 운동장의 (완공되지 않아 그랜드센트

---

26 내셔널 테니스 센터 매표소는 오전 10시에 문을 여는데, 사람들은 그날의 일반 입장권을 사려고 오전 6시부터 줄을 선다. 길거리에 빠삭한 뉴요커들의 이 오전 행렬에 얽힌 다양한 인센티브와 드라마는 그 자체로 또 다른 이야깃거리다.

27 농담 아니라 뉴욕주 퀸스의 긴 내장을 통과하여 적어도 50개의 신호등을 지나며 노던불러바드를 올라가고 또 올라가야 한다.

28 U.S.T.A. 내셔널 테니스 센터가 있는 공원의 실제 이름으로, 도시 쓰레기와 교외 '초원pastora', 이글거리는 태양의 세 요소는 퀸스 북동쪽 여름철의 정수를 거의 완벽하게 무의식적으로 포착했다.

릴 공원 도로에서 보면 거대하게 노출된 흉곽이 북쪽 지평선을 배경으로 기우뚱하게 미동도 없이 서 있는 거대한 기중기 석 대와 함께 맨땅과 공사장 잡동사니와 뉴스타일 폐기물 처리 회사New Style Waste Disposal Co. 매립장 위로 솟아 있어 음산하기 그지없는) 우람한 외골격—가 나타날 때까지 노던불러바드를 따라 올라온다. 이번 노동절 연휴에 노동하는 사람은 안전모를 쓴 채 공사장 담장 안을 순찰하는 쓸쓸하고 따분한 안전 요원 둘뿐이다.

N.T.C. 정문은 구내 북동쪽에 있는데, 7호선 지하철역과 주차장을 출입구와 연결하는 남쪽의 넓은 아스팔트 보도는 공원 관리 사무소들과, 초록색 벤치와 스케이트보드장과 활기차고 음습한 지하상가가 있는 개방된 커다란 원형 통행로—일종의 개방된 도심 만남의 장소로, 가운데에 분수대가 있을 것 같지만 없다—를 통과한다. 보도는 어딘가에서 급격히 서쪽으로 꺾여, 이동 중인 유에스 오픈 관중이 F.M.C. 파크—그중에서 '메도'(풀밭) 부분이 분명하다—곳곳에서 피크닉과 축구를 하는 사람들의 시야를 통과하고 나면 토너먼트 정문의 실제 입구로 연결되는 평행선들을 향하는 통로의 마지막 아스팔트 직선 좌우로 높은 담장 위에 만국기가 펄럭인다. 정문 자체의 높은 담장은 검은색 철로 되어 있으며 거의 중세풍의 보안 출입문을 연상시킨다. 그 위에는 자랑스러운 성조기만 나부끼며, 회전문 위에 걸린 깃발에는 오픈과 U.S.T.A의 친숙한 인사말과 홍보 문구가 밝고 대담한 160포인트 대문자로 새겨져 있다. 회전문은 총 여섯 개이지만 실

제 작동하는 곳은 세 곳을 넘은 적이 없다. 회전문은 입장권을 가진 사람만 들어갈 수 있는데[29], 오전 입장권을 사려고 동쪽 구역에 늘어선 매표소 줄은 매일 1100h.경에 매진을 알리는 근엄한 메가폰 소리와 함께 증발한다.

스타디움/그랜드스탠드 너머로 N.T.C. '관전 코트Show Court', 즉 어엿한 계단석을 갖춘 코트가 세 곳 있다. 1640h., 16번 코트에서는 세계 1위 남자 복식조 야코 엘팅과 파울 하르하위스의 경기가 열리고 있는데, 이곳은 쐐기 모양의 작은 알루미늄 스탠드에조차 빈자리가 있다. 미국 테니스 애호가들은 단연코 단식을 편애한다. 17번 코트에서는 페트르 코르다와 니클라스 쿨티 조가 바하마의 광인狂人 마크 놀스[30]와 그의 1995년 파트너로 식욕 부진 걸린 믹 재거를 빼닮아서 재밌게 생긴 대니얼 네스터 조와 대결한다.[31] 18번 코트에

---

29 암표상은 일반 입장권에 125달러를 요구하며 오후 경기의 열한 번째 열例 스타디움 좌석에는 그 두 배를 (적어도 한 번은) 요구했다. 정문까지 가는 통행로의 마지막 직선로에는 암표상이 드글드글하며 길가 풀밭에서 생략법의 호객을 하지만, (기이하게도) 길가에 서서 엉큼한 표정으로 행인들에게 남는 입장권 있느냐거나 입장권 팔겠느냐고 큰 소리로 묻는 사람도 암표상만큼 많다. 암표상과 암표를 요구하는 이상한 사람들은 서로를 의식하지도 못하는 것처럼 보인다. 다들 나직한 목소리로 한꺼번에 외쳐대는 광경을 보고 있자니 초현실적으로 슬픈 정문 앞 마지막 통행로가 단절의 연구 대상으로 보일 지경이다.

30 놀스는 J. P. 매킨로와 마찬가지로 언제나 격분하는 감정 유형이지만, 매킨로에게서는 피해망상이 진정한 천재가 앓는 고도의 신경증으로 발현한 반면에 놀스에게서 나타나는 것은 그저 불만에 차 으르렁대는 막돼먹은 못된 성질이다. 투어가 끝나고 여름내 나는 저 바하마의 광인을 보면서 그가 패하기를 간절히 바랐다. 내게 이런 생각을 들게 한 것은 ATP 선수 중에서 그가 유일했다.

31 하지만 네스터는 매우 품질 좋은 달걀처럼 생겼다.

서는 여자 복식이 열리고 있는데, 선수 네 명은 이름을 모르 겠고 스탠드에는 정확히 서른한 명이 있다. (18번의 여성 넷 모 두 팔뚝이 나보다 굵다.) 히히 페르난데스 없이는 불완전한 나 탈랴 즈베라바가 그랜드스탠드에서 에이미 프레이지어를 상 대로 몸을 풀고 있다. 스타디움에서는 필리푸시스와 샘프러 스가 첫 두 세트를 6과 5로 나눠 가졌다. 큰 경기가 열리고 있음을 스타디움 밖에서도 알 수 있는 것은 박수와 환호성이 잠시 지축을 흔든 뒤에 주심의 기이하고 평탄한 목소리가 앰 프로 증폭되면 순식간에 적막이 감돈다는 것이다. 대니얼 네스터의 성은 그리스적이면서도 호메로스적이어서[32] 아테네 와 스파르타 이전의 전시戰時를 암시한다. 샘프러스가 그랜드 슬램을 그토록 많이 석권했다는 사실은 그랜드슬램 남자 경 기가 5전 3선승제인 것과 관계가 깊은지도 모르겠다. 5전 3 선승제는 신체적 지구력뿐 아니라 특별한 감정적 유연성을 요한다. 5전 3선승제에서는 시종일관 전력을 다할 수 없다. 언제 몰아붙이고 언제 뒤로 물러서 심리적 에너지를 비축할 지 알아야 한다.[33] 필리푸시스가 따낸 1세트 타이 브레이크 를 보면 샘프러스가 경기에 대한 아이들링을 조절하면서 승 리하는 데 필요한 정확한 세기를 찾고 있다는 인상을 받는 다. 경기의 서스펜스는 샘프러스가 이길 것인가라기보다는 얼마나 열심히 경기해야 하고 이 사실을 발견하기까지 얼마

---

32 필로스의 현왕賢王 네스토르.

나 오래 걸릴 것인가다. 필리푸시스는 엄청난 강타자이지만, 상상력이 전혀 없으며 유연성은 더더욱 부족하다. 그는 변속기가 1단만 있는 기계와 같아서, 넓은 앵글샷에 리듬이 흐트러지지 않는 한 전진과 후진만 반복한다. 이에 반해 샘프러스는 산책하듯 코트를 종횡무진 누빈다.[34] 필리푸시스가 거대하고 무시무시한 육군과 같다면 샘프러스는 이동하여 포위하는 해군에 가깝다. 정치로 따지면 필리푸시스는 과두정이어서 의지가 있고 그것을 관철하고자 하는 반면에 샘프러스는 민주적이어서 더 혼란스럽지만 더 인간적이다. 그의 진짜 임무는 자신의 의지가 정확히 무엇인지 찾아내는 것인 듯하다. 그나저나 아테네가 펠레폰네소스 전쟁에서 패했다는 사실을 기억 못하는 사람이 많다. 30년이 걸렸지만, 스파르타가 결국 아테네를 짓밟았다. 한편 이 피비린내 나는 전쟁이 애초에 시작된 것은 아테네가 해상 무역에 끼어든 스파

---

33 1979년에 시카고 교외에서 열린 괴상한 비非U.S.T.A. 주니어 대회에서 어느 날 5전 3선승제 경기를 두 번 치렀는데, 한 경기는 5세트까지, 다른 경기는 4세트까지 갔다. 나는 열일곱 살밖에 안 됐는데도 그 뒤로 며칠 동안 매우 늙은 사람처럼 걸었다. 정서적 유연성이란 주니어에게는 불가능에 가까우므로, 3/5를 치른 선수 모두가 정서적으로 완전히 녹초가 된 채 텅 빈 눈동자와 포그롬pogrom(19세기 말과 20세기 초 러시아에서 일어난 유대인 학살_옮긴이) 생존자의, 1000미터 밖을 바라보는 눈빛으로 경기장을 떠나던 기억이 난다. 그 뒤로 그랜드 슬램 대회를 볼 때면 남자 선수들에게 특별한 정서적 공감을 느꼈다.

34 샘프러스는 샷을 때리고는 사라졌다가 다음 샷을 치기에 완벽한 위치에 다시 나타나는 것처럼 보이는 비법이 있다. 어떻게 그렇게 하는지는 아무리 궁리해도 모르겠다. 내가 기억하기로 샘프러스를 제외하고 이런 식으로 사라졌다 나타났다 할 수 있는 남자 선수는 켄 로즈월뿐이다. E. 굴라공도 할 수는 있지만, 매번 성공하지는 못했다.

르타 해상 동맹을 괴롭혔기 때문이라는 사실도 모르는 사람이 많다. 아테네의 말쑥한 호인 이미지는 약간 과장된 것이다. 이 모든 고통의 발단은 처음부터 상업이었다.

1995 유에스 오픈 기자 출입증이 좋은 점은 정문을 마음대로 드나들 수 있다는 것이다. 유료 고객에게는 그런 행운이 없다. 회전문 옆 표지판에는 '재입장 불가'라는 문구 옆에 느낌표가 여러 개 달려 있다. 작동 중인 회전문 세 개 앞에서 입장을 기다리는 줄은 제3세계 축구 경기에서 벌어진 압사 사고의 끔찍한 사진을 연상시킨다. 토너먼트에 채용된 작고 쭈글쭈글한 노인들이 회전문 옆에 서서 입장권을 받는다. 모든 스포츠 대회의 회전문에서 볼 수 있으며 언제나 슈라이너스Shriners[35] 모자를 쓰고 있어야 할 것만 같은 바로 그 작고 쭈글쭈글한 노인들이다. 현재 시각 1738h에 회전문을 통과하는 사람은 아주 잘생긴 대머리 흑인으로, 세련미 넘치는 드리스 반 노턴Dries Van Noten 낙타털 양복을 입었다. 다음 회전문으로 엉덩이를 밀어 넣는 사람은[36] 비단인지 매우 좋은 인견인지로 만든 강청색electric-blue 바지 정장 차림이다. 작동 중인 세 번째 회전문에는 외국인처럼 생긴 젊은 남자가 값비싼 플란넬 셔츠와 레이밴 선글라스 차림에 휴대폰을 들

---

35 프리메이슨 협회의 일종.(옮긴이)

36 뉴욕은 세계에서 회전문이 가장 밀집한 도시 중 하나이기에, 뉴요커들은 최상급 선수들이 몸풀기를 할 때처럼 우아하고 태평스러운 동작으로 회전문을 밀며 통과한다.

고서 회전문의 입장권 검표원과 실랑이를 벌이고 있다. 남자
는 자신이 9월 3일 입장권을 샀는데 실수로 라이[37]의 집에
놓고 왔다며 최저 임금을 받는 작고 쪼글쪼글한 입장권 검
표원 때문에 라이까지 그 먼 거리를 돌아가서 입장권을 가
지고 이곳까지 이 먼 거리를 돌아와야 한다면 낭패라고 주
장한다. 그는 휴대폰을 들고서 검표원 쪽으로 몸을 숙이고
는, 그 바보 같은 직사각형 판지 실물을 가지러 그 먼 거리를
갔다 오지 않고도 자신의 입장객 신분을 확인할 수 있는 방
법이 '분명히' 있을 거라고 항변한다. 푸른색 양복을 입고 있
어서 다소 기차 검표원처럼 보이는 회전문 검표원이 작고 쪼
글쪼글한 머리를 흔들며, "도와줄 수 없어, 맥"이라고 말하
는 듯한 무력하면서도 단호한 동작으로 팔을 들어올린다.
라이에서 온 플란넬 차림의 젊은 남자는 휴대폰을 열어 으
르는 듯 번호를 누르기 시작한다. 마치 자신과 친분이 있는
유에스 오픈 고위층의 비밀스러운 인사를 통해 입장권 검표
원을 큰코다치게 하겠다고 협박하는 듯하다. 하지만 작고 무
신경한 검표원은 딱딱한 표정에 팔을 쳐든 채[38] 여전히 강경

---

37 뉴욕주 남동부에 있는 도시.(옮긴이)

38 이 입장권 검표원은 의심할 여지 없이 95 오픈을 통틀어 내가 가장 좋아하는
인물이 되었는데, 짧은 인터뷰에는 동의했지만 이름은 밝히지 말아달라고 했다. 토
너먼트에 직원들이 두려워하는 비밀스러운 고위층 인사가 정말로 있나보다. 이 입장
권 검표원은 예순한 살이며 1968년 포리스트힐에서 애시가 그레브너와 오커를 둘
다 접전 끝에 이긴 뒤로 유에스 오픈 때마다 '스타일스stiles'(그의 '회전문' 발음)에서
일했는데, 플러싱메도 N.T.C.가 모든 상상 가능한 측면에서 왕년에 잘나가던 포리스
트힐보다 못하다고 생각하고, 남쪽 지평선을 내려다보는 신축 (공사 중인) 스타디움

하다. 결국 플란넬 남자의 뒤와 옆에서 입장객들이 비켜달라고 항의하기 시작한다.

정문 안으로 들어오면 맨 먼저 보이는 것은 후안 발데스와 단짝 당나귀의 윤곽이 그려진 커다란 플라스틱 통에서 은박지로 싼 콜롬비아 커피 원두를 꺼내어 무료로 나눠주는 아주 매력적인 젊은이들이다. 콜롬비아 추출extraction[39]은 하나도 없는 이 젊은이들은 쾌활하고 사근사근하지만, 내가 나갔다 들어올 때마다 무료 샘플을 번번이 건네는 걸 보면 정신을 바짝 차리고 있는 것 같지는 않다. 덕분에 가방이 원두로 가득 차서 몇 달간 커피를 안 사도 될 지경이다. 다음으로 눈에 띄는 것은 단상에 서서 일일 대진표를 2달러에[40], 안내서+대진표를 할인가 8달러에 사라고 호객하는 사람이다. 호객꾼 바로 옆에는 근사한 최신형 인피니티 승용차가 복잡하게 생긴 받침대에 올려진 채 가파른 각도로 처박히고 있

은 그 규모 때문에 값싼 좌석이 인간 시야의 한계에 배치되고 그곳에서 바라보는 시합은 도착하는 보잉 항공기에서 보는 것 같을 것이며 새 스타디움은 애초에 헛짓이었고 타락과 불법과 전반적인 행정적 부패로 얼룩졌다고 주장한다. 이 사람은 믿을 수 없을 만큼 달변에 이야기꾼이며 한 번도 개인적으로 치러본 적 없는 경기에 열렬한 애착을 보인다는 점에서 더없이 감동적이다. 내가 보기에 그는 내년 〈테니스〉에서 별도로 다루기에 충분하다. 그는 퀸스와 브롱크스 남부 사이의 악명 높은 스록스넥 다리의 요금소에서 일하는데, 해마다 유에스 오픈에서 일하려고 두 주간 휴가를 낸다. 면전에서 휴대폰을 휘두르는 식의 협박 전술 앞에서도 그가 단호한 태도를 유지할 수 있는 것은 이 때문인지도 모르겠다.

39 영어 'extraction'에는 '혈통'이라는 뜻도 있다.(옮긴이)

40 일일 대진표는 1995 유에스 오픈에서 단일 품목으로는 가장 싼 상품이라는 특징이 있다. 작고 얼음 집약적인 소다수가 2.5달러로 2위다.

다. 멋진 신차와 프로 테니스가 무슨 관계인지 모르겠지만, 자동차와 가파른 각도의 시각적 조합은 극히 인상적이고 강렬하며 구경꾼들은 언제나 인피니티를 빽빽하게 에워싸되 눈으로만 보고 만지지는 않는다.[41] 그다음으로, 일일 대진표 판촉원의 오른쪽 어깨 너머로 예매권 창고에 수상쩍을 만큼 가까이 위치한 것은 서구에서 가장 큰 독립형 현금 인출기들이다. 각각은 자체 햇빛 가리개를 갖췄으며 세 개의 독립된 현금 인출구에는 나사NASA만큼 정교하고 복잡한 조작부가 달렸다. 거대한 표지판에는 본 기계가 체이스CHASE[42]의 후의로 설치되었고 나이스NYCE[43], 플러스PLUS[44], 비자, 시러스CIRRUS[45], 마스터카드의 현금 인출 네트워크를 통해 현금을 토해낸다는 문구가 쓰여 있다. 현금 인출기의 줄이 어찌나 긴지 가장 가까운 매점 줄과 복잡하게 엉켜 있다. 매점들은 지난해 이후 암이 전이되듯 퍼져나가 이제는 N.T.C. 구내에 없는 곳이 없다. 유에스 오픈의 매점 운영권을 둘러싼 뒷이야기에 토너먼트의 코트 위 드라마를 무색하게 할 음모와 술수가 개입되어 있으리라는 의심이 강하게 든다. 입장객과 그

---

41 지키는 사람은 아무도 없지만 사람들은 처박히는 인피니티로부터 적잖은 거리를 유지한다. 이는 벨벳 밧줄이 쳐진 박물관을 연상시킨다.

42 체이스맨해튼은행.(옮긴이)

43 미국의 현금 인출 서비스를 관리하는 뉴욕현금거래소New York Cash Exchange의 약자.(옮긴이)

44 비자카드 계열의 국제 현금 카드망.(옮긴이)

45 은행 간 네트워크.(옮긴이)

의 현금을 분리하는 진짜 진지한 작업은 N.T.C. 매점에서 이루어지고 있기 때문이다. 이 모든 매점은 규모만 작다뿐이지 허리케인 경보가 발령되었을 때 연안 식료품점과 잡화점에서 하는 짓을 그대로 하고 있다. 에비앙과 하겐다즈를 판매하는, 파라솔이 설치된 작은 독립형 매장은 작은 감자 같다. '쇼핑몰'을 고스란히 축소한 식음료 매대들이 구내의 거의 모든 인도와 통로와 공간에—심지어 스타디움/그랜드스탠드의 고리 모양 지상 터널에도—진 치고 소다수는 2.5~3.5달러, 물은 3달러, 작은 종이봉투에 담은 나초나 원반 모양에 그물눈이 그려졌으며 담자마자 종이에 기름이 잔뜩 배는 프렌치프라이도 3달러, 맥주는 3.5달러, 팝콘은 2.5달러[46] 등등에 판매한다.[47]

---

46 이 팝콘은 음료수를 곁들이지 않으면 안 되는 짭짤한 진노랑 종류로, 매점에서 파는 커다란 핫도그급 프레첼—맨해튼 길모퉁이에서는 소금 알갱이를 뿌린 프레첼을 파는데, 어쩌나 큰지 따로따로 물어뜯어 삼켜야 한다—과 맛먹는다. 유에스 오픈 프레첼은 3달러에 팔지만, 매점과 북적거리는 식객이 꽉 들어찬 아수라장인 스타디움 남면의 세계 먹거리촌에서는 개당 2.5달러에 준다.

47 이를테면 비쩍 마른 조그만 하겐다즈 바—다섯 번 베어 물면 없어질 만큼 진짜 비쩍 말랐다—는 중죄에 해당하는 3달러에 팔았으며 이곳의 식품 매점이 으레 그렇듯 처음에는 가격에 바가지 쓴 기분과 분노가 들지만 한 입 베어 물면 정말로 훌륭한 하겐다즈 바임을 알게 된다. 햇볕과 신선한 공기와 경기 관전 때문에 배가 고프고 자신을 제외한 모든 관중이 먹어대는 광경에 나 또한 침이 고일 때는 3달러가 아니라 약 2.5달러 값어치밖에 못 하지만. 소다수와 팝콘도 마찬가지이고 김이 모락모락 올라오는 코니아일랜드 식음료 매장에서 파는 크라우트 핫도그도 마찬가지다. 처음에는 4달러라는 가격이 완전히 정신 나간, 도저히 받아들일 수 없는 것처럼 느껴지지만 이내 핫도그가 정말 길고 '정말' 훌륭하다는 것을 알게 된다. 크라우트는 먹을 기분이 아닐 때는 역겨울 정도로 냄새가 지독하지만 먹을 기분일 때는 황홀할 정도로 맛있다. 나는 두 번 다 툴툴거리면서 각각 크라우드 핫도그를 샀는데, 솔

지금 스타디움의 골조를 뒤흔드는 거대한 굉음은 민주주의와 인간 자유의 수호자가 3세트를 이겼음을 의미한다.[48]

직히 적어도 3.25달러의 값어치는 했다. 게다가 노동절 연휴 내내 N.T.C. 구내의 모든 매점에서 콜롬비아 커피가 공짜였음을 덧붙여야겠다. 이것은 올해 플러싱메도에서 후안 발데스 판촉 행사를 엄청나게 공격적으로 펼치는 일환이었다. 정말로 좋은 기회인 것 같았지만, 알고 보니 90퍼센트의 시간에는 매점에서 콜롬비아 커피가 신비하게도 '일시 품절'이라고 주장했다. 그래서 2.5달러를 건네고 얼음 범벅 다이어트 코크를 받아드는 수밖에 없었다. 매점 줄에서 시간을 하도 많이 보낸 터라 빈손으로 돌아갈 수는 없었기 때문이다. 매점에서 정말로 커피가 떨어졌다는 것이 상상 불가능한 일은 아니지만—마케터라면 누구나 알겠지만, '무료'란 수요곡선이 최고점에 도달하는 가격을 의미한다—내 안의 완고해진 미국 소비자는 몇몇 매점에서 커피와 관련된 미끼 상술을 부린다는 의심을 삭일 수 없었다. 판매대 뒤의 직원들은 라이커스섬(뉴욕의 교도소가 있는 섬_옮긴이) 외부통근작업 제도work-release program(일터에 통근하되 근무가 끝나면 교도소에 돌아가는 제도_옮긴이)에 참가하고 있거나 진짜 직업은 포트 오소리티와 펜실베이니아 역에서 밤늦게 위협적으로 서성거리는 것인데 부업으로 나왔다는 인상을 풍겼다. 그럼에도 요는 N.T.C.의 모든 매점 앞에 끊임없이 긴 줄이 늘어섰으며 스타디움과 그랜드스탠드, 그리고 관전 코트의 관중 중 족히 66퍼센트가 어느 시점엔가는 모종의 매점 상품을 섭취하고 있었다는 것이다.

48 식음료 섭취의 음량에 제대로 감명받으려면 프로 경기를 볼 때 매점에 가는 것이 얼마나 번거로운지를 감안해야 한다. 스타디움을 예로 들어보자. 관중은 홀수 게임 중간의 90초 휴식 시간에만 자리를 뜰 수 있으므로, 북적거리는 스타디움 경사로를 따라 가장 가까운 매점까지 일종의 슬랄럼slalom(주로 속도를 즐기거나 겨루는 운동 경기에서, 장애물을 피하여 달리는 일_옮긴이)을 하여 길고 흡스적인("끊임없는 두려움과 폭력에 의한 삶과 죽음의 갈림길에서 인간의 삶은 외롭고, 가난하고, 비참하고, 잔인하고, 그리고 짧다."_옮긴이) 줄에 자리를 잡고는 바가지급 금액을 건넨 뒤에 사람들의 팔꿈치에 맞아 자신의 귀한 식음료가 떨어지고 이미 바닥에 널브러져 있는 식음료의 바삭바삭한 유기물 지층에 한 층을 더하지 않도록 요리조리 몸을 틀며 경사로까지 올라가야 한다. … 물론 제자리로 돌아가는 경사로가 보일 때쯤이면 원래의 90초 휴식 시간은 끝난지 오래이고—그다음 경기의 휴식 시간일 때도 많은데, 그러면 적어도 두 게임을 놓친 것이다—경기가 진행되고 있어서 굵은 사슬 옆에 선 안내원들이 재입장을 막는 바람에 여러분은 바닥이 끈적끈적하고 경사지고 환기가 안 되는 시멘트 통로에 서서 여러분과 마찬가지로 매점에 갔다가 제자리로 돌아가려고 다음 휴식 시간을 기다리는 인파와 섞여 있어야 하는데, 다들 옹기종기 모여 얼음은 녹고 크라우트는 굳는 와중에 터널 끝 사슬에 매달린 작은 아치 조명을 내다보고 어쩌면 공의 초록색 기미나 필리푸시스가 네트로 돌진하거나 할 때 왼쪽 허

분명한 사실은 샘프러스가 자신의 순항 고도를 찾았고 필리 푸시스가 자신이 승리한 첫 세트를 소중히 가지고 집에 돌아가 ATP 실내 시즌을 준비하며 벤치 프레스에 전념하리라는 것이다.

페론 여사인지 씨인지가 누구인지 모르겠지만, 그/그녀는 뉴욕 스포츠 매점 업계에서 무시무시한 실력자가 틀림없다. 95 오픈의 매점을 통틀어 줄잡아 80퍼센트에 '페론스FER-ON'S'라는 표지판이 달려 있으니 말이다. 식음료 매장뿐 아니라—매장 이름은 다양하지만 모든 종업원이 담청색 페론스 셔츠를 입고 있는 듯하다—구내의 헬레스폰트Hellespont[49] 중에서 식품 부스에 점령당하지 않은 모든 곳을 점령한 기념품점과 테니스 용품점의 끝없는 행렬도 마찬가지다. 진정한 골수팬을 위한 값비싼 기념품은 스타디움 동편, 처박히는 인피니티와 아이비엠 경기 진행 상황판 사이의 공간에서 찾아볼 수 있는데, 요넥스, 필라, 나이키[50], 헤드, 윌리엄 서빈 부스에서 라켓류와 신발과 용품 가방과 운동복과 티셔츠를 판매한다. U.S.T.A. 부스에서는 유료 U.S.T.A. 회원에 가입하면 공짜 U.S.T.A. 티셔츠를 주는데, U.S.T.A. 승인 대회에서 뛰고

___

벽지의 초현실적 일부나마 보려고 발끝으로 서 있으니 … 군중과 줄과 바가지와 기다림에 대한 뉴요커의 인내는 익숙하지 않은 사람에게는 무척 인상적이다. 그들은 공기가 없는 곳에 오랫동안 다들 조용히 서 있을 수 있으며 그들의 눈에서는 선禪 명상과 (불행한 것이 분명하지만 결코 불평하지 않는) 임상적 우울이 뉴욕 특유의 방식으로 조합된 표정을 볼 수 있다.

49 다르다넬스 해협의 옛말.(옮긴이)

싫지 않다면 회원에 가입할 이유가 없으며 뛰고 싶다면 선택의 여지가 없다. 하지만 '유에스 오픈 95' 문구가 박힌 제품은 페론스 부스에서 독점 판매한다. 이런 부스로는 '페론스 0/40', '페론스 유에스 오픈 실크 제품', '페론스 유에스 오픈 스페셜' 등이 있다.[51] '스페셜'이 가격 면에서 무슨 뜻인지는 요령부득이다. 유에스 오픈 95 티셔츠는 22달러와 25달러이고 탱크톱은 더 비싸다. 선캡은 18달러 이상이다. 운동복 상의는 올해 대유행인 흙투성이 산 워싱acid-washed 가을 색상의 유무에 따라 49달러 아니면 54달러다.

페론스와 유서 깊은 미국테니스연맹 사이에 드넓은 해로가 나 있다는 것 또한 분명하다. 페론스의 공식 기념품은 모두 '유에스 오픈 95' 바로 밑에 'U.S.T.A. 주관'이라고 쓰여 있기 때문이다.

오후 경기 일정이 끝나고 저녁 경기 일정이 시작되기까

---

50 1995 유에스 오픈에서 단연 인기 있는 기념품은 새하얀 반다나로, 머리 바로 위로 묶으면 약간 비현실적인 나이키의 트레이드마크 '날개'가 이마 가운데 온다. 이 패션 액세서리가 누구 때문에 인기를 얻었는지는 알 수 없다. 내가 플러싱메도에서 본 어린아이들은 하나같이 흰색 나이키 반다나를 하고 있었으며, 일요일의 흔한 풍경은 작은 이마 한가운데 나이키 날개가 오도록 반다나를 묶느라 쩔쩔매는 부모와 초조하게 이 발을 디뎠다 저 발을 디뎠다 하는 아이다. (이 반다나의 소매가격은 알고 싶지 않을 것이다. 정말이다.) '니케'와, 또한 이 아이들이 니케의 날개를 사순절 재처럼 이마에 붙이고 뛰어다니는 장면의 고전적이고 펠로폰네소스적인 의미는 너무 분명해서 길게 말할 필요가 없다.

51 N.T.C. 구내 전역의 붐비는 장소에 '페론스 유에스 오픈 스페셜' 부스가 적어도 네 곳 있다. 페론스 의류 부스에서 독특한 점 두 가지는 (1) 현금 계산대와 주요 신용카드 계산대가 따로 있다는 것, (2) 이 계산대의 직원 중에서 열한 살이 넘어 보이는 사람이 한 명도 없다는 것이다.

지의 사이에도 구내가 텅 비진 않지만[52], 관중이 좀 줄긴 한다. 땅거미가 깔리면 플러싱메도는 쌀쌀하고 아름답게 변한다. 지금은 1900h.경, 해가 지지는 않았지만 모든 것이 다른 무언가의 그림자에 드는 때다. 정문 회전문의 입장권 검표원이 교대하고 통행로를 따라 들어오는 입장객들은 반바지와 슬리퍼보다는 청바지와 스웨터 차림이다. 모든 N.T.C. 코트의 조명이 요란한 '텅' 소리와 함께 일제히 켜진다. 코트의 조명은 위에 떠 있는 후지 비행선의 아랫배에 기묘한 귀신 형상을 비춘다. 세계 먹거리촌International Food Village과 기업 홍보 코너Corporate Hospitality Areas에서는 더 본격적인 5대 영양소 정찬이 차려지고 있다. 샘프러스와 필리푸시스의 스타디움 경기가 끝났다. 샘프러스는 방패를 들었고 호주인은 자기 방패에 실려 나갔다.[53] 이제 아란차 산체스 비카리오와 메리 조 퍼낸데즈가 스타디움 코트에서 몸을 풀고 있으며 계단석 관중은 햇볕에 탄 채 오들오들 떨면서 아이스박스와 방석을 옆구리에 끼고 아주 조심스럽게 비틀비틀 계단을 밟으며 퇴장한다. 이제 그랜드스탠드 코트에서 벌어질 혼합 복식은 내가 고대하던 경기인데, 안내서에 따르면 복식조 하나가 '보허르트-오스팅'(크리시 보허르트와 메노 오스팅)이라는 근사한 이름이

---

52 입장권은 낮 경기 따로 밤 경기 따로 팔리며, 낮 경기 입장권을 산 사람들이 오후 8시가 지나도록 얼쩡거리다가 은근슬쩍 저녁 경기까지 보지 못하도록 매우 복잡한 메커니즘이 작동한다.

53 '자기 방패에 실려 나가다'는 장렬히 전사했다는 뜻이다.(옮긴이)

기 때문이다. 16~18번 코트에서는 잡다한 단식 경기가 벌어지고 있는데, 재미있는 구경거리는 이 관전 코트에 가되 안으로 들어가 작은 스탠드에 앉는 것이 아니라 코트 주변의 육중한 초록색 방풍막 밖 통로에 서서 바닥 근처의 작은 줄무늬 철망 사이로 발의 움직임을 지켜보면서 이 움직임을 통해 포인트마다 무슨 일이 벌어지는지 짐작하는 것이다. 16번 코트의 방풍막 아래로 보이는 어마어마한 운동화는 알고 보니—당연하게도—미친 두루미처럼 경기하는 198센티미터의 네덜란드인 리하르트 크라이첵의 것이다. 저 정도면 최소 340밀리미터일 텐데, 믿기지 않을 것이다. 나는 4달러짜리 크라우트 핫도그와 소다수를 든 채 한적하고 고요한 식사 장소를 물색한다.

진짜 어스름이 깔려도 정문 밖은 전혀 고요하지 않다. 저마다 다른 경기의 관중이 들고 나면서 뒤섞일 뿐 아니라 출입문에서 지하철역과 주차장까지 가는 통로 전체가 사이공의 가을을 방불케 한다. 여기 바깥은 '경제적으로' 특히 소란하다. 해가 떨어질 때 여기서 벌어지는 온갖 일에 대한 묘사를 이 잡지가 실어줄지는 모르겠지만 그러지 않을 이유도 못 찾겠다. 그리 놀라운 일도 아니니까. 1995 유에스 오픈의 본질은—노골적이게도—상업성이고 상업성은 본성상 '억제 불가능'하므로 가장 활발한 황혼의 상행위가 이곳 토너먼트의 담장과 정문 밖 온갖 색조의 장터에서 벌어지고 있음은 전혀 놀랄 일이 아니다. 이를테면 방금 20분 만에 저마다 다른 세 사람이 내게 대마초pot를 (다들 엄청나게 바가지를 씌워서) 팔려고 접근했다. 대마초 담배reefer의 달짝지근한 소나무 태우는 향이 사방에 스며 있으며, 한 벤치에서 큰 작업용 군복fatigue pants을 입은 젊은 남자가 대마초bone를 피우는데 바로 옆에서는 매우 단정하고 말쑥한 노신사가 난처한 냄새를 맡는 기색은 하나도 없이 손을 가지런히 모은 채 앉아 있다.[54] 그림자가 길어지면서 암표상들이 호객의 강도를 높이고 통행로를 지나는 모든 사람에게서 무언가를 찾는 낌새가 조금이라도 보이면—그 무언가가 그저 크라우트 핫도그를 먹을 한적하고 고요한 장소일지라도—하프 넬슨 half-nelson[55]을 걸다시피 한다.[56] 앞에서 언급했듯 나는 유에스 오픈 95 기

---

54 뉴요커들은 자신과 관계없는 일에 기웃거리지 않고 제 일에만 신경 쓰는 경이로운 능력도 가지고 있다. 이 능력은 이곳에 올 때마다 나를 감명시키며 언제나 스토아주의와 긴장증의 연속체 어딘가에 있는 것처럼 보인다.

55 레슬링에서 한 팔을 상대편의 뒤에서 겨드랑이 밑으로 넣고, 뒤통수에 팔을 돌려 목을 조르는 공격 기술.(옮긴이)

56 어쨌거나 반 시간여 뒤에 내가 웅크린 채 저녁을 뜰 조용한 장소를 찾아냈음을 알면 여러분은 틀림없이 기뻐할 것이다. 1995 유에스 오픈에서 대가 없이 베푸는 근사한 혜택 중 하나는 해가 지고 나면 내셔널 테니스 센터의 군소 코트 몇 곳을 일반인에게 개방한다는 것이다. 스타디움 관중의 일부가 라켓을 가지고 다니는 것은 이 때문인 듯하다. 어쨌든 코트는 괜찮아 보인다. 오후에 경기한 프로들의 운동화 고무 자국이 아직도 남아 있는 코트에서 테니스를 치는 것이 어린아이들에게 얼마나 흥분될지는 능히 짐작할 수 있을 것이다. 여기서 테니스를 치는 일반인들은 스스로 중요한 사람이 된 것처럼 느끼며 길을 지나는 (이젠 공 소리만 들리면 눈여겨보도록 조건화된) 행인들에게 많은 주목을 받는다. 2~3초 지나 자기들이 누구를 또 무엇을 보는지 깨닫고 나서 행인들의 얼굴이 달라지는 광경을 보는 것은 흥미롭다. 이 군소 공용 코트의 조그만 계단석이 비어 있다는 것은 충분히 이해할 만하다. 내가 저녁을 먹은 곳은 그런 작은 계단석 중 하나였다. 서른쯤 된 남자와 그의 아내가 테니스를

자 출입증을 소지하고 있다는 사실이 뿌듯한데—지독한 위화감을 불러일으키는 나의 작은 내가 들어 있는 커다란 플라스틱 카드를 나일론 줄에 달아 대략 소믈리에의 시음용 컵 높이로 가슴 앞에 달랑거리도록 했다—내게 기자 출입증을 빌려 경기장 안에 들어가서 검은색 담장 틈으로 돌려주겠다는 제안을 받는 이날 저녁 정문 바깥에서는 두 배로 뿌듯하다. 그중 한 번은 명백한 뇌물이었지만 나머지들은 회사 중역처럼 품위 있는 은발의 사내가 초록색 골프 바지 차림으로 접근하여 결핵 걸린 조카인지 뭔지가 엄청나게 먼 거리를 날아 뉴욕에 왔는데 유에스 오픈에 입장하는 것이 최고의 소원이나 입장권이 매진되었다는 넋두리를 늘어놓는 식이었다.[57] 적어도 한 명의 회전문 입장권 검표원이—단호한

치고 있었는데 아내는 어딘지 공짜처럼 보이는 선캡을 썼으며 남편은 프로가 공을 강타하는 광경을 바라보는 오후가 사람을 과열시키듯 과열되어 있었다. 스탠드에 나 이외에 유일한 사람은 정문에서 하루 종일 내게 공짜 커피를 잔뜩 안기던 매력적인 젊은 홍보 직원이었다. 그녀는 발데스 윤콱 티셔츠 차림으로 앉아 칸막이가 있는 스티로폼 그릇의 뚜껑을 뒤로 젖힌 채 김이 나는 무언가를 먹고 있었다. 직업적인 미소와 눈의 광채가 사라지자 그녀는 원래의 억세고 젊은 뉴요커로 돌아갔다. 그녀는 식사를 하면서 아내에게 공을 후려치는 남편을 무심히 쳐다보았다. 나처럼 조용한 식사 공간을 찾아서 이곳에 온 것이 틀림없었다. 덤으로 활기찬 판촉용 표정으로부터 얼굴을 쉬게 할 휴식 시간도 필요했을 테고. 나는 일종의 유대감이 느껴져서, 반대편 계단석 끝에서 식사를 하다가 목을 가다듬고는 이렇게 말했다. "이봐요, 1분이라도 혼자 있을 수 있는 장소를 찾으니 좋지 않아요?" 여자는 코트에서 시선을 돌리지 않은 채 입을 닦고는 말했다. "1초 전까진 그랬죠."

57 두 간청 다 호소력이 있었으며—노골적 뇌물은 더더욱—만일 발각되어 기자 출입증을 암시장에서 대여하다 붙잡혀 출입증을 압수당했다는 사실을 〈테니스〉에 알려야 하는 것이 두렵지 않았다면 95 오픈 공짜 사업에 뛰어들었을지도 모른다.

눈빛의 스록스넥Throgs Neck[58] 입장권 검표원은 아니다—(아무리 상상력을 발휘해도) N.T.C.에 관중이 가지고 들어오는 것이 허락되지 않는 무언가를 누군가가 가지고 들어오는 것을 허락하는 대가로 일종의 미묘한 뒷돈을 받는 광경을 목격하기도 했다.[59] 스타디움 입장권이 없지만 뉴요커의 요령과 두둑한 호주머니가 있다면 몇몇 스타디움 안내원이 장미 넝쿨 아래서sub-osa[60] 수수료를 받고 기꺼이 당신을 빈자리에—정말로 좋은 앞자리일 때도 있다—데려다줄 것이며 이 수수료의 일부는, 비결은 모르겠지만 어느 자리가 일정 기간 동안 비어 있을지 알고 이 정보를 안내원에게 (대가를 받고) 넘겨주는, 사업 마인드가 있는 내셔널 테니스 센터 내부의 어떤 사람 또는 사람들에게 돌아가는 것이 분명하다. 이곳에서 테니스의 아름다움 중 일부는 기예와 에너지가 코트 위의 특정 선에 제약된다는 사실에 있지만, 상행위의 아름다움은 결코 제약되지 않는다는 사실에 있다. 그것은 밤에 벌어지는 온갖 종류의 최면이다. 해가 지면, 처박히는 인피니티의 가죽 내장內裝이 신비로운 빛을 발하는데, 멀리서 보면 항공 유도등처럼 보인다. 멀리 F.M.C. 파크에서는 쓰레기통에 불이 붙었

---

58 브롱크스와 퀸스를 연결하는 길목에 있는 스록스넥 다리.(옮긴이)

59 그게 뭔지 구체적으로 말해도 여러분은 믿지 않을 것이며 아귀를 맞추려면 많은 지면과 맥락이 필요할 텐데, 나의 취재는 이미 예산을 초과했고 노동절 연휴를 집중적으로 투자한다는 본래의 계획에서도 멀어졌으니 도리가 없다.

60 '비밀리에'라는 뜻.(옮긴이)

고 북쪽으로 셰이 지상역에 진입하는 7호선 열차도 내부가 환하다. 2015h.경 세계 먹거리촌 근처에서 어느 회사인지는 모르겠지만 기념품 부스에 공급하기 위해 '95 오픈'이 새겨진 티셔츠와 모자와 캡을 실제로 생산하는 회사에 다니면서 셔츠와 용품 상자를 잔뜩 빼돌려 구내를 돌며 부스 가격보다 훨씬 싼 가격에 몰래 파는[61], 부도덕하거나 사업 마인드가 있는 직원과 N.T.C. 보안 요원, 그리고 (어울리지 않게도) 슬리커slicker[62]와 소방관 모자 차림의 소방관처럼 보이는 두 명이 실랑이를 벌인다. 저녁 경기를 보러 오는 관중은 전반적으로 더 젊고 시끄럽고 사고뭉치다. 얼굴은 냉랭하며 눈을 마주쳤다가는 지하철에서 눈을 마주쳤을 때처럼 봉변을 당할 것만 같다. 여자들은 옷을, 하나도 안 입었을 때 어떻게 보일지 알려주려는 듯 입는다.

음식도 빼놓을 수 없다. 온갖 비정규 식품 사기는 아직 언급하지도 않았다. 어떤 기회가 있을지만 상상해보라. 바가지 씌운 '현금만 받습니다' 매점뿐 아니라 기업 홍보 코너와 브이아이피 전용 '유에스 오픈 클럽' 등을 위해 거대한 천막을 친 주방이 있고 지글지글하는 소리와 즐비한 명사들의 박수 소리가 주방 밖으로 정문의 남쪽 부분을 따라 들어오고 있으니까. 줄지은 식품 가판대 뒤의 작은 공간, 은밀하고

---

61 내가 보기엔 그래서 더 위세가 있어 보였다.

62 표면에 고무를 얇게 입힌 비옷.(옮긴이)

전체적으로 승인되지 않은 것처럼 보이는 배달 음식과 커다란 상자의 내용물, 온갖 거래와 종종걸음까지는 들여다보지 말도록 하자. 그 사례는 잊으시라. 여기 또 다른 사건이 있으니. 이번 노동절은 이걸로 마무리하겠다.

어떤 일이 버젓이 눈앞에서 벌어지고 있어도 그게 뭔지 알 수조차 없을 때가 있다. 정문 방향 보도와 만나는, 분수대 없는 넓은 동그라미 만남의 장소 중 한 곳—정문에 가까운 동그라미—에서 동그라미의 초록색 벤치 중 하나를 차지한 불법 택시·리무진 기사들은 라이든 로커웨이든 어디든 타고 돌아갈 불법 탈것이 필요한 퇴장객을 기다린다. 택시 기사 베레모를 쓴 대여섯 명이 벤치에 앉아 승객을 기다리며 시가를 피우고 개소리를 주고받고 하는 와중에 나는 옆 벤치에서 메모를 정리하려고 골머리를 썩인다. 2100h.경, 늦은 시각이다. 이 동그라미에서는 천막 친 대규모 주방 몇 곳의 뒤쪽 덮개가 보인다. 그중 하나 사이로 주방 직원 특유의 높은 모자와 흰옷 차림의 다부진 젊은이가 나타난다(그런데 신고 있는 200달러짜리 에어조던이 N.T.C. 배경 조명에 하도 환하게 빛나서 마치 떠다니는 것처럼 보인다). 주방 직원은 넓고 낮은 골판지 상자를 가지고 정문의 직원 및 기자 출입구를 지나 통행로를 따라 동그라미를 가로질러 택시 기사들이 있는 벤치를 향한다. 택시 기사들은 '드디어, 하느님 감사합니다'라는 듯한 몸짓을 취한다. 택시 기사 한 명이 일어나 앞으로 걸어가 주방 직원을 맞이한다. 손에서 손으로 자금 이체를 연상케 하는 미묘한 무언가가 벌어지고 택시 기사가 상자를 가지고 벤치로 돌아오자 나머지 기사들이 모여들어 내용물을 집는다. 상자 안에는 버거, 닭다리, 비엔나소시지 같은 음식이 가득하다. 상자에 손을 넣는 택시 기사들의 만족스러운 음성이 어렴풋하게 들린다.

내 벤치에서 내 옆에 앉은 훌륭한 옷차림의 이탈리아인이 말한다. "염병할 도둑놈 같으니."

내가 말한다. "뭐라고요?"

훌륭한 옷차림의 이탈리아인이 "저 빌어먹을 장소에서 도둑질을 하잖소"라고 말하며 주방 직원을 손가락질한다. 직원은 손을 주머니에 넣은 채 재빨리 주방 천막으로 돌아가고 있다. 이탈리아인은 작은 필터 시가를 입에 물고 역겨운 표정으로 다리를 꼬고 팔꿈치를 약삭빠른 뉴요커가 공원 벤치에 앉아 있을 때처럼 태평하게 벤치 등받이에 올린 채 앉아 있다. 그는 눈썹과 구두코가 두툼하며 캐그니[James Cagney][63] 시대 깡패들이 입었을 법한 유럽풍 점선 무늬 실크 양복을 입었다. 흰색 페도라fedora[64]를 쓰고 바이올린 보관함을 들었을 것 같은 생각이 절로 든다. 하지만 명함을 건네받아 읽어보니 그는 위탁 운영concession 사업을 하는 버젓한 비즈니

---

63 미국의 영화배우로, 1942년 〈성조기의 행진Yankee Doodle Dandy〉에서 조지 M. 코핸 역으로 아카데미상 남우주연상을 수상했다.(옮긴이)

64 크라운의 가운데가 들어가고 테가 휘어진 여성·남성용 중절모로, 주로 펠트로 만든다.(옮긴이)

스맨으로, 여가와 소비가 아니라 노동을 하려고 이곳에 왔다. 그는 새 스타디움이 완공되어 운영될, 더더욱 열렬한 입장객과 상행위가 예견되는 이듬해 오픈에서 이곳에 매점 두어 곳을 열 가능성을 타진하고 있다. 그가 열고 싶은 매점에서는 기로스gyros[65]를 팔 거라고 한다. 그나저나 그는 이탈리아인이 아니다.

1996년

---

65 그리스식 회전 구이.(옮긴이)

살과 빛의 몸을 입은 페더러

Federer Both Flesh and Not

테니스를 좋아하고 텔레비전에서 남자 투어를 챙겨 보는 사람이라면 거의 누구나 지난 몇 년간 '페더러 모멘트 Federer Moment'라 이름 붙일 만한 경험을 했을 것이다. 이 젊은 스위스인이 경기하는 장면을 보고 있으면 입이 벌어지고 눈이 튀어나오고 딴 방에 있던 배우자가 들어와 괜찮으냐고 묻게 만드는 소리가 절로 나오는 때가 있다. 페더러 모멘트는 방금 목격한 그의 플레이가 불가능함을 이해할 정도로 테니스에 조예가 있는 사람에게는 더욱 강렬하다. 누구나 나만의 페더러 모멘트가 있다. 이를테면, 2005년 유에스 오픈 결승전 4세트 초반 페더러가 앤드리 애거시에게 서브를 넣는다. 요즘 파워 베이스라인 플레이 특유의 나비 모양으로 그라운드스트로크를 한참 주고받는 동안 페더러와 애거시가 상대방을 좌우로 몰아대며 베이스라인 위너를 만들어내려고 애쓰다가 … 문득 애거시가 강하고 묵직한 크로스 백핸드를 때려 페더러를 자신의 애드 쪽(=자신의 왼쪽)으로 훌쩍 밀어내고 페더러가 라켓을 갖다 대지만 몸을 뻗어 백핸드로 맞힌 슬라이스는 서비스라인 한 발짝 너머로 짧게 떨어지고 —물론 이것은 애거시에게 날 잡아 잡수쇼 하는 격이다—페더러가 허둥지둥 방향을 틀어 중앙으로 돌아가려는 와중에 애거시는 쇼트볼을 온더라이즈에서 잡으려고 전진한 다음 페더러의 발을 꼬이게wrong-foot 하려고 똑같은 애드 코너에 세게 후려치는데, 실제로 뒤통수를 얻어맞은 페더러는 아직도 코너 근처에 있지만 센터라인 쪽으로 달려가고 있어서 공은 이제 그의 뒤쪽으로 자신이 방금 전에 있던 한 점을 향하고 몸을 돌릴 시간은 없는데, 애거시는 샷을 따라 백핸드 측면에서 각도를 이루며 네트 쪽으로 돌진하고 … 페더러는 이제 무엇을 하느냐면 어떻게든 즉각적으로 역추력을 걸고 불가능할 만큼 빠르게 서너 발짝 뒤로 통통 뛰어 백핸드 코너에서 체중을 전부 뒤로 이동시킨 채 포핸드를 때리니 이 포핸드는 네트에서 애거시를 스쳐 지나가는 다운더라인 톱스핀 강타여서 애거시는 다리를 뻗어보지만 공은 그를 지나쳐 곧게 사이드라인을 따라 날아가 애거시 쪽 듀스 코너에 정확하게 안착하는 위너가 되고 페더러는 공이 떨어지는 동안도 여전히 춤추듯 뒷걸음질하고 있다. 뉴욕 관중은 친숙하게도 일순간 충격 속에서 침묵했다가 이내 환호성을 터뜨리고 텔레비전에서는 해설자용 헤드셋을 쓴 존 매킨로가 (아마도) 이렇게 혼잣말을 한다. "저 위치에서 어떻게 위너를 때리는 거지?" 그의 말이 맞다. 애거시의 위치와 세계적인 빠르기를 감안할 때 페더러가 그를 패스하려면 5센티미터 파이프만 한 공간에 공을 넣었어야 했는데, 그는 준비 시간이 전혀 없고 샷 뒤에 몸무게를 전혀 싣지 않은 상태에서 뒷걸음질하며 그걸 해냈다. 그것은 불가능한 일이었다. 마치 영화 〈매트릭스The Matrix〉의 한 장면 같았다. 어떤 소리가 났는지 모르겠지만, 내 배우자 말로는 헐레벌떡 들어가 보니 소파에 팝콘이 널브러져 있고 나는 한쪽 무릎을 꿇었는데 눈알이 장난감 가게에서 파는 눈알 같았다고 한다.

어쨌든 이것이 페더러 모멘트의 한 예이며, 텔레비전에서만 봐도 이런데 텔레비전 테니스와 실제 테니스의 관계는 비디오 포르노와 현실에서 느끼는 인간적 사랑의 관계와 같다.

기자식으로 말하자면 로저 페더러에 대해 터뜨릴 수 있는 특종은 없다. 그는 스물다섯의 나이로 현재 살아 있는 테니스 선수 중에서 최고다. 영영 최고일지도 모르겠다. 그의 약력과 인물 소개는 얼마든지 있다. 〈60분60 Minutes〉에서는 바로 지난해에 특집 방송을 내보냈다. 로저 노미들네임N.M.I. 페더러에 대해 여러분이 알고 싶은 모든 것—성장 배경, 고향 바젤, 재능에 대한 부모의 사려 깊고 건전한 뒷받침, 주니어 테니스 경력, 초기의 체력과 성격 문제, 사랑하는 주니어 코치, 2002년 코치의 사고사가 어떻게 페더러를 깨뜨리고 단련

하고 지금의 그로 만들었는지, 통산 39개의 단식 타이틀, 여덟 개의 그랜드슬램, 그와 함께 다니며(남자 투어에서는 드문 일이다) 그의 대소사를 처리하는(남자 투어에서는 듣도 보도 못한 일이다) 여자 친구에 대한 이례적으로 꾸준하고 성숙한 헌신, 그의 고전적 스토아주의와 강한 정신력과 훌륭한 스포츠맨 정신과 어디 하나 흠잡을 때 없는 품위와 신중함과 아낌없는 자선—은 구글에서 검색하면 다 나온다. 끝도 없이.

이 글은 그보다는 페더러를 관전하는 경험과 그 맥락에 대한 것이다. 여기서의 색다른 명제는 여러분이 이 젊은이가 직접 경기하는, 모습을 한 번도 본 적이 없다가 윔블던의 성스러운 잔디 위에서 2006년 두 주일 동안 말 그대로 말려 죽이는 열기와 바람과 비 속에서 뛰는 모습을 직접 보게 된다면 토너먼트의 기자단 버스 운전사 하나가 '지독하게도 종교에 가까운 경험'이라고 부르는 것을 겪을 가능성이 다분하다는 것이다. 처음에는 이런 문구를 사람들이 페더러 모멘트의 느낌을 묘사하려고 할 때 동원하는 과장된 비유로 치부하고 싶을지도 모르겠다. 하지만 운전사의 말은 알고 보면 (말 그대로, 잠깐 동안 황홀하게) 진실이다. 이 진실이 드러나는 것을 보려면 시간과 진지한 관전이 필요하겠지만.

아름다움은 경기 스포츠의 목표가 아니지만, 높은 수준의 스포츠는 인간적 아름다움을 표현하기에 최상의 분야다. 아름다움과 스포츠의 관계는 용기와 전쟁의 관계와 비슷하다.

여기서 말하는 인간적 아름다움은 특별한 종류의 아름다움이다. 운동미kinetic beauty라고 불러도 좋으리라. 운동미는 보편적인 힘과 매력을 발산한다. 이것은 섹스나 문화적 규범과는 아무 상관이 없다. 정말로 상관이 있는 것은 인간이 어떻게 자신이 몸을 가졌다는 사실과 화해하는가일 것이다.[1]

　　물론 남자 스포츠에서는 아무도 아름다움이나 우아함, 몸에 대해 말하지 않는다. 남자들은 스포츠에 대한 '사랑'을 천명하기는 해도 그 사랑은 언제나 토벌elimination(예선 탈락) 대 진군advance(다음 회전 진출), 랭킹과 순위의 위계, 강박적 통계와 기술 분석, 종족적/민족적 열의, 유니폼, 집단적 소음, 깃발, 가슴 두드리기, 얼굴 치장 같은 전쟁의 상징 속에서 주조되고 규정된다. 이유가 충분히 이해되진 않았지만, 우리 중 대다수에게는 전쟁의 규약이 사랑의 규약보다 안전하다. 여러분도 그렇게 느낄지 모르겠다. 그렇다면 중배엽형mesomor-

---

[1]　몸을 가진다는 것은 여간 나쁜 일이 아니다. 이것이 사례를 들 필요가 없을 정도로 명백한 사실이 아니라고 생각하는 사람에게는 통증, 상처, 냄새, 구토, 노화, 중력, 패혈증, 서투름, 질환, 한계에 이르기까지 우리의 신체적 의지와 실제 능력 사이의 괴리를 하나하나 재빨리 언급할 수 있을 것이다. 우리가 혼자 힘으로 몸과 화해하지 못한다는 사실을 누가 의심할 수 있으랴? 화해를 갈망하는데도. 게다가 몸은 결국 죽고 만다. 몸을 가진다는 것이 근사한 일이라는 것 또한 명백하다. 실시간으로 느끼고 향유하기가 훨씬 어려울 뿐. 위대한 운동선수는 드문 절정 유형의 감각적 현현 같아서―"내게 눈이 있어서 이 해돋이를 볼 수 있으니 어찌나 기쁜지!" 따위―만지고 지각하고 공간을 이동하고 물질과 상호작용하는 것이 얼마나 영광스러운 일인지 우리가 자각할 수 있도록 촉매 작용을 하는 듯하다. 물론 위대한 운동선수가 자신의 몸으로 하는 것은 나머지 우리가 꿈만 꿀 수 있는 것들이다. 하지만 이 꿈은 중요하다. 많은 것을 상쇄하기 때문이다.

phic[2]이며 철저히 호전적인 스페인인 라파엘 나달이야말로 여러분에게는 남자 중의 남자다. 그는 소매 달린 옷을 입을 수 없는 이두박근과 가부키적 자기 규율의 소유자다. 게다가 나달은 페더러의 숙적이자 올해 윔블던의 이변이기도 하다. 클레이 코트 전문이기에, 이곳에서는 다들 몇 회전 버티지 못할 것이라 예상했기 때문이다. 반면에 페더러는 준결승을 거치면서 이변이나 드라마를 전혀 연출하지 못했다. 그가 모든 상대 선수를 어찌나 완벽하게 압도했던지 텔레비전과 신문·잡지에서는 그의 경기가 지루하며 월드컵의 국가주의적 열정에 맞서기 힘들 것이라 우려한다.[3]

하지만 7월 9일 남자 결승은 모두의 꿈이다. 나달 대 페더러 전은 지난달 프랑스 오픈 결승전의 재현이다(그때는 나달이 우승했다). 페더러는 올해를 통틀어 네 경기에서만 졌지만, 전부 나달에게 패했다. 하지만 이 경기들은 대부분 나달이 가장 좋아하는 느린 클레이에서 치러졌다. 페더러가 가장 좋아하는 표면은 잔디다. 그런데 첫 주의 열기가 윔블던 코트를 달궈 매끄러움이 줄고 느려졌다. 나달이 클레이 위주 플레이를 잔디에 맞게 조정했다는 사실도 빼놓을 수 없다. 그는 베이스라인에 더 가까이 붙어 그라운드스트로크를 때

---

2   뼈대가 굵고 근육과 골격이 잘 발달한 체형.(옮긴이)

3   여기서 미국의 매체가 유난히 걱정하는 이유는 남녀를 막론하고 어떤 미국인도 올해 준준결승에조차 진출하지 못했기 때문이다. 여러분이 까다로운 통계학을 좋아하는 사람이라면, 윔블던에서 이런 사태가 벌어진 것은 1911년 이후 처음이다.

리고 서브를 강화하고 네트 알레르기를 극복했다. 그는 3회전에서 애거시를 묵사발로 만들었다. 방송사들은 열광의 도가니다. 경기 전 '센터 코트Centre Court'에서는 남쪽 백스톱back-stop[4] 위의 유리 틈새 뒤로 선심들이 아동용 해군복을 빼닮은 새 랄프 로렌 유니폼을 입고 코트로 나올 때 해설자들이 의자에서 그야말로 펄쩍펄쩍 뛰는 광경을 볼 수 있다. 이번 윔블던 결승전은 복수復讐의 서사, 왕과 시해의 역학, 극명한 인물 대비를 얻었다. 남유럽의 열정적 마초가 북유럽의 섬세한 임상적 기예와 대결한다. 디오니소스와 아폴론. 식칼과 메스. 왼손잡이와 오른손잡이. 세계 2위와 1위. 현대 파워 베이스라인 플레이를 극단으로 밀어붙인 인물 대 현대 플레이를 변형하고 구속과 발 빠르기 못지않은 정확도와 다양성을 구사하지만 전자의 인물에게 유독 약해(또는 위축되어) 보이는 인물. 영국의 스포츠 기자는 기자석에서 동료와 환호성을 지르며 "이건 전쟁이야"라고 말한다. 두 번.

게다가 이곳은 센터 코트 대성당이다. 남자 결승전은 언제나 두 주의 둘째 일요일에 열리며 윔블던은 그 상징성을 강조하기 위해 첫째 일요일에는 으레 경기를 생략한다. 아침내 주차 표지판을 넘어뜨리고 파라솔을 뒤집은 간헐적 돌풍이 경기 시각 한 시간 전에 느닷없이 멈추고, 센터 코트의 타프를 걷고 네트 포스트를 세우는 바로 그 순간 해가 얼굴을

---

4   야구와 테니스에서 공이 다른 곳으로 튀지 않도록 막아주는 안전그물.(옮긴이)

내민다.

페더러와 나달이 박수갈채를 받으며 등장하여 귀족석에 의례적으로 고개 숙여 인사한다. 스위스인 페더러는 나이키에서 올해 윔블던에서 입도록 한 버터밀크색 스포츠 코트sport coat[5] 차림이다. 페더러는, 어쩌면 오직 그만이 스포츠 코트를 반바지와 운동화에 받쳐 입어도 우스꽝스러워 보이지 않는다. 스페인인 나달은 보온용 의류를 입지 않기 때문에 우리는 처음부터 그의 근육을 보아야 한다. 그와 스위스인은 둘 다 나이키 일색으로, 제3의 눈 바로 위에 나이키 로고가 박히도록 똑같은 종류의 흰색 나이키 머릿수건을 머리에 맸다. 나달은 머리카락을 머릿수건에 밀어 넣었지만 페더러는 그러지 않는다. 머릿수건 밖으로 늘어진 머리카락을 매만지는 것은 텔레비전 시청자들이 주로 보게 되는 페더러의 틱이다. 나달이 포인트와 포인트 사이에 강박적으로 볼보이에게서 수건을 받아 드는 것도 마찬가지다. 하지만 다른 틱과 버릇도 있는데, 이것은 직접 관람의 작은 특전이다. 로저 페더러는 여분의 선수용 의자 등받이에 스포츠 코트를 걸 때 구겨지지 않도록 엄청나게 공을 들인다. 윔블던에서 경기 때마다 이런 모습을 보였는데, 어딘지 어린아이 같고 묘하게 귀엽다. 또한 2세트 어느 시점에 반드시 라켓을 교체하는데 그 과정도 이채롭다. 새 라켓은 언제나 파란색 테이프로 봉

---

5   운동복으로 만들었으나 일상에서도 입는 활동적인 외투.(옮긴이)

한 투명 비닐봉지에 들어 있는데 페더러는 봉지를 조심스럽게 벗겨 언제나 볼보이에게 버리라고 건넨다. 나달은 서브 전에 공을 튀길 때 끊임없이 긴 반바지의 엉덩이 부분을 꼬집는 버릇이 있으며, 베이스라인을 따라 걸을 때는 습격을 예상하는 재소자처럼 좌우를 힐끔힐끔 곁눈질한다. 또한 아주 자세히 들여다보면 스위스인의 서브에는 뭔가 이상한 게 있다. 동작을 시작하기 전에 공과 라켓을 앞쪽으로 든 채 언제나 공을 아주 짧은 순간 동안 라켓 머리 바로 밑 목의 'V' 모양 틈새에 정확히 놓는다. 위치가 조금이라도 어긋나면 들어맞을 때까지 공 위치를 조정한다. 순식간에 벌어지는 일이긴 하지만 이 버릇은 첫 서브와 두 번째 서브를 막론하고 매번 볼 수 있다.

나달과 페더러가 서로 공을 주고받으며 몸을 푸는 시간은 정확히 10분이다. 주심이 시간을 잰다. 이 경기 전 몸풀기에는 매우 엄격한 순서와 에티켓이 있다. 텔레비전에서는 시청자에게 흥미롭지 않을 거라 판단하여 보여주지 않지만. 센터 코트는 1300명가량을 수용할 수 있다. 또 다른 수천 명은 해마다 기꺼이 그러듯 출입구에서 빳빳한 일반 입장권General Admission을 구입한 뒤에 소풍 바구니와 모기 퇴치 스프레이를 가지고 모여 1번 코트 밖에 설치된 거대한 텔레비전 화면으로 경기를 시청한다. 왜 그러는지는 나도 모른다.

경기 직전에 네트 앞에서 서브 순서를 정하는 제의적 동전 던지기를 한다. 이것은 또 다른 윔블던 제의다. 올해의

'명예 동전 던지미' 윌리엄 케인스가 주심과 토너먼트 심판의 부축을 받으며 등장한다. 윌리엄 케인스는 켄트 출신의 일곱 살 소년으로, 두 살에 간암에 걸렸으나 수술과 지독한 화학요법을 이겨내고 생존했으며 영국암연구소를 대표해 이 자리에 나왔다. 그가 금발에 분홍색 볼을 한 채 페더러의 허리께에 와서 선다. 관중이 함성으로 명예 동전 던지기를 수락한다. 페더러는 내내 희미한 미소를 띠고 있다. 네트 건너편의 나달은 권투 선수처럼 팔을 좌우로 휘두르며 제자리에서 가볍게 뛴다. 미국 방송국에서 동전 던지기를 보여주는지, 이 제의가 계약상 의무 방영인지 광고로 대체되는지는 잘 모르겠다. 윌리엄 케인스가 퇴장하고 관중이 한 번 더 환호성을 지르지만 산발적이고 어수선하다. 대다수 관중은 뭘 할지 갈피를 못 잡는다. 마치 제의가 끝난 뒤에야 이 아이가 제의의 일부였던 이유를 실감하게 되는 것 같다. 이 꿈의 결승전에서 암 환아患兒가 동전 던지기를 하는 것에는 뭔가 중요하고 뭔가 불편하면서도 그렇지만도 않은 느낌이 있다. 그 느낌, 그 모든 의미는 혀끝에 맴도는 듯한 성격이 있어서 적어도 처음 두 세트 동안은 막연하기만 하다.⁶

최상급 운동선수의 아름다움을 직접 묘사하는 것은 불가능에 가깝다. 환기시키는 것도 마찬가지다. 페더러의 포핸드는 거대한 액체 채찍이요 백핸드는 한 손으로도 플랫 드라이브를 날리거나 톱스핀을 먹이거나 슬라이스를 깎을 수 있다. 이 슬라이스는 스냅이 잔뜩 들어간 탓에 공이 허공에서 변형되며 잔디 위에서 (아마도) 발목 높이까지 미끄러진다. 그의 서브는 속도와 위치와 다채로움 면에서 세계적 수준이며 누구도 범접할 수 없다. 서비스 동작은 나긋나긋하되 기이하지 않으며, 임팩트 순간에 뱀장어처럼 온몸으로 스냅을 줄 때만 (텔레비전에서) 특이하게 보인다. 그의 예측 능력과 코트 감각은 비현실적이며 발놀림은 테니스 선수 중에서

---

6 사실 윔블던 두 번째 주에 페더러가 환아와 엮인 것은 이번만이 아니다. 남자 결승 사흘 전에 로저 페더러 씨와 나와의 특별 **일대일** 인터뷰가 기자실 3층 바로 옆에 있는 작고 북적거리는 국제테니스연맹 사무실에서 열린다. 그 직후에 ATP 선수 대리인이 다음 일정을 위해 페더러를 뒷문으로 데리고 가는데, ITF 인사 하나가—특별 인터뷰 내내 전화로 시끄럽게 대화하던 사람—다가와 로저에게 시간을 좀 내달라고 부탁한다. 그는 ITF 인사들이 다 그렇듯 가냘프고 전반적으로 외국어 같은 억양으로 말한다. "이봐요. 저도 이렇게 하기 싫어요. 평소에는 이렇게 안 한다고요. 제 이웃을 위해서예요. 그 사람 애가 병에 걸렸어요. 모금을 하기로 계획했는데, 셔츠에 사인을 하거나 뭐라도 해주십사 부탁드립니다." 몸둘 바를 모르는 기색이다. ATP 대리인이 그를 노려본다. 하지만 페더러는 그저 고개를 끄덕이며 어깨를 으쓱한다. "좋습니다. 내일 가져오죠." 내일은 남자 준결승이다. 분명 ITF 인사의 취지는 페더러 자신의 셔츠, 경기에서 입어 페더러의 진짜 땀이 밴 셔츠를 달라는 것이었다. (페더러는 경기가 끝나면 차고 있던 손목 아대를 관중에게 던지는데, 아대에 맞은 사람들은 역겹다기보다는 즐거운 표정이다.) ITF 인사는 페더러에게 매우 빠르게 세 번 감사를 표하더니 고개를 내두른다. "정말 이러고 싶진 않습니다." 페더러는 문을 반쯤 나서며 말한다. "괜찮습니다." 정말이지 괜찮다. 여느 프로와 마찬가지로 페더러는 경기 중에 여러 번 셔츠를 갈아입으며 얼마든지 누군가에게 주고 사인도 해줄 수 있다. 여기서 페더러가 간디 같다는 얘긴 아니다. 페더러는 아이나 그의 질병에 대해 시시콜콜 묻지 않는다. 그는 자신이 신경 쓰는 것 이상으로 신경 쓰는 체하지 않는다. 자신이 처리해야 하는, 사소하고 살짝 정신을 산란케 하는 일이 하나 늘었을 뿐이다. 하지만 그는 정말로 그러겠노라 말하고 자신의 약속을 기억할 것이다. 믿어도 좋다. 그리고 이 일은 그의 정신을 산란케 하지 않을 것이다. 그가 용납하지 않는다. 그는 이런 일에도 능숙하다. 이런 **일대일**을 성사시키는 데 필요한 자질구레한 일을 시시콜콜 설명하지 않는 것은 오로지 지면이 부족하고 말해도 기본적으로 믿지 않을 테기 때문이다. 한마디로, 연꽃 위에 앉은 사람과 이야기하려고 거대한 산을 오르는 옛이야기와 비슷하다. 이 경우에는 산이 스포츠 관료로 이루어졌다는 점만 빼면.

최고다(그는 어릴 적에 축구 신동이기도 했다). 이 모두가 사실이지만, 그럼에도 실제로는 아무것도 설명하지 못한다. 이 남자가 플레이하는 모습을 지켜보는 경험을 전달하지도 못한다. 저 플레이의 아름다움과 천재성을 눈앞에서 목격하는 경험을. 미학적 요소는 간접적으로 접근하거나, 에둘러 말하거나, 아퀴나스가 말로 표현될 수 없는 주제를 다루듯 무엇이 아닌가의 형식으로 정의하려 들어야 한다.

무엇이 아닌가 중 하나는 텔레비전에서 표현할 수 있는 것이 아니라는 것이다. 적어도 온전히 표현할 수는 없다. 텔레비전 테니스에는 장점이 있지만 이 장점에는 단점이 있으며 그중 으뜸은 모종의 친밀감 환각이다. 텔레비전의 슬로모션 리플레이, 클로즈업과 그래픽 등이 모두 시청자에게 크나큰 혜택을 주기에 우리는 방송에서 얼마나 많은 것이 상실되는지 감도 못 잡는다. 상실되는 것의 상당 부분은 최상급 테니스의 순수한 신체성, 공이 움직이고 선수가 반응하는 속도의 감각이다. 이 상실은 간단히 설명할 수 있다. 포인트가 진행되는 동안 텔레비전의 주된 시야는 코트 전체를 담는 포괄적 시야다. 그러면 시청자는 두 선수와 전반적인 공방의 기하학을 한눈에 볼 수 있다. 따라서 텔레비전은 머리 위와 한쪽 베이스라인 뒤라는 특정한 시점을 선택한다. 시청자인 여러분은 뒤쪽에서 코트를 내려다본다. 이 시점은 미대 학생이라면 누구나 알겠지만 코트를 '단축foreshorten[7]'한다. 그런데 실제 테니스는 3차원이지만 텔레비전 화면에 비친 이미지는 2차원에 불과하다. 화면에서 상실되는—'왜곡되는'에 가깝겠지만—차원은 진짜 코트의 세로 길이, 즉 베이스라인 사이의 23.77미터다. 공이 이 길이를 가로지르는 속도가 샷의 구속球速인데, 텔레비전에서는 감을 잡기 힘들지만 직접 보면 무시무시하다. 추상적이거나 과장된 것처럼 들릴지도 모르겠지만, 만일 그렇다면 무슨 수를 써서라도 프로 토너먼트—특히 사이드라인에서 6미터 이내에 앉을 수 있는 실외 코트의 초반 라운드—를 직접 관전하면서 차이를 스스로 느껴보시길. 테니스를 텔레비전에서만 봤다면 여러분은 이 프로들이 공을 얼마나 세게 때리는지, 공이 얼마나 빨리 날아가는지[8], 선수들이 대처할 시간이 얼마나 적은지, 그들이 얼마나 빨리 움직여 몸을 틀고 공을 때리고 원래 자리로 돌아갈 수 있는지에 대해 아무것도 모를 것이다. 그리고 이것을 그 누구보다 빠르게, 기만적일 만큼 수월하게 해

---

7   미술에서 거리에 따라 길이를 줄이는 표현 기법.(옮긴이)

8   최상위 선수들의 서브는 시속 200~217킬로미터에 이르는 것이 사실이지만, 온갖 레이더 표시와 그래픽이 말해주지 않는 것은 남자 파워 베이스라이너의 그라운드스트로크 자체가 시속 145킬로미터 넘는 속도로 날아갈 때가 많다는 것이다. 이 정도면 메이저 리그의 속구와 맞먹는다. 프로 코트에 바싹 다가가면 공이 날아갈 때 속도와 스핀이 결합하여 쉭 하고 물 빠져나가는 소리를 실제로 들을 수 있다. 가까이서 직접 보면 파워 베이스라인 플레이의 상징이 된 오픈 스탠스open stance(골프·야구·테니스 따위에서, 타구 방향 쪽의 발을 뒤로 물리고 몸을 정면으로 향하여 공을 치는 자세_옮긴이) 또한 더 잘 이해할 수 있다. 이 용어는 그라운드스트로크를 때리기 전에 몸의 측면을 완전히 네트 쪽으로 돌리지 않는다는 뜻에 지나지 않으며, 그토록 많은 파워 베이스라이너가 오픈 스탠스에서 공을 때리는 한 가지 이유는 공이 하도 빨라져서 몸을 완전히 틀 시간이 없기 때문이다.

내는 사람이 로저 페더러다.

흥미롭게도 페더러의 지력은 텔레비전 화면에서 덜 가려진다. 이 지능은 종종 각도로 표현되기 때문이다. 페더러는 그 누구도 상상하지 못하는 빈틈과 위너 각도를 볼 수—또는 만들어낼 수—있으며 텔레비전의 시점은 이 페더러 모멘트를 보고 또 보기에 이상적이다. 텔레비전 감상의 문제는 이 눈부신 각도와 위너가 난데없이 튀어나오는 것처럼 보인다는 것이다. 하지만 그의 위너는 몇 번의 샷 이전에 준비되는 것이 예사이며, '최후의 일격coup de grâce'의 속도나 위치 못지않게 페더러가 상대 선수를 요리 보냈다 조리 보냈다 하는 것도 한몫한다. 페더러가 어떻게 세계적인 선수들을 이런 식으로 요리할 수 있는지 이해하려면 역으로 현대 파워 베이스라인 플레이의 기술적 측면을 (다시 말하지만) 텔레비전에서 보여줄 수 있는 것보다 더 면밀히 이해해야 한다.

윔블던은 신기하다. 진실로 이곳은 테니스의 메카요 대성당이지만, 이곳이 테니스의 대성당임을 토너먼트에서 그토록 열심히 상기 또 상기시키지 않는다면 현장에서 적절한 수준의 숭배를 계속 이끌어내기가 오히려 더 수월할 것이다. 윔블던은 눈치 없는 자기만족과 눈꼴 사나운 자기 홍보 및 자기 브랜딩이 특이하게 섞여 있다. 윔블던은 지금껏 받은 명판과 학위증과 상패를 집무실 벽에 모조리 걸어놓은 권위적 인물과 다소 비슷하다. 그 집무실에 들어갈 때마다 여러분은 벽을 쳐다보며 자신이 감명받았음을 나타내려고 뭔가 말해야 할 것 같은 느낌을 받는다. 윔블던의 벽에는 거의 모든 중요한 복도와 통로를 따라 과거 우승자들의 샷이 담긴 포스터와 사인, 윔블던의 요모조모, 연혁 등이 줄지어 있다. 이 중에는 흥미로운 것도 있고 그저 괴상하기만 한 것도 있다. 이를테면 윔블던 론 테니스 박물관에는 수십 년간 이곳에서 사용된 온갖 라켓이 소장되어 있으며 밀레니엄 빌딩[9] 2층 통로를 따라 걸린 수많은 표지판 중 하나는 사진과 설교 투의 글로 이 전시를 일종의 라켓사史로 홍보한다. 이 홍보문의 극적인 맺음말을 그대로 인용해보겠다.

흑연, 붕소, 티타늄, 세라믹 같은 우주 시대 소재로 제작한 오늘날의 경량 프레임과 더 커진 헤드—중형은 580~610제곱센티미터, 대형은 710제곱센티미터—는 테니스 경기의 성격을 완전히 바꿔놓았습니다. 지금 추세는 경기를 지배하는 강타자와 강한 톱스핀의 조합입니다. 서브 앤드 발리 선수들과 섬세함과 터치에 의존하는 선수들은 사실상 자취를 감췄습니다.

페더러의 윔블던 치세 4년 차에 이런 진단이 여기 버젓이 걸려 있다는 건 좋게 말해 기묘하다. 이 스위스인은 (적어도) 매킨로의 전성기 이후로 남자 테니스의 터치와 섬세함을

---

9 밀레니엄 빌딩은 커다란—그리고 아마도 6년은 됐을 것이다—구조물로, 윔블던 집행부, 선수, 매체를 위한 각각의 공간과 본부가 들어서 있다.

미답의 경지에 올려놓았기 때문이다. 하지만 이 표지판은 실은 교조의 힘을 보여주는 증거일 뿐이다. 20년 가까운 기간 동안 당黨의 노선은 라켓 기술, 컨디셔닝, 웨이트 트레이닝이 발전하면서 프로 테니스가 민첩함과 기교의 경기에서 운동 능력과 완력의 경기로 변했다는 것이다. 오늘날 파워 베이스라인 플레이의 탄생 원인으로서 이 노선은 대략적으로 정확하다. 정말이지 오늘날 프로들은 체구와 근력과 지구력이 눈에 띄게 향상되었으며[10] 첨단 기술의 복합 재료 라켓은 구속과 스핀의 잠재력을 실제로 끌어올렸다. 그렇다면 로저 페더러처럼 절정의 기량을 가진 누군가가 어떻게 남자 투어를 제패하게 되었는가는 교조를 뒤흔드는 엄청난 혼란의 발단이다.

페더러의 테니스 제패를 설명하는 타당한 근거는 세 가지다. 첫째는 신비와 형이상학을 동원하며 (내 생각에) 실제 진실에 가장 가깝다. 나머지는 더 전문적이며 글의 수준을 높이는 데 일조할 것이다.

형이상학적 설명은 로저 페더러가 적어도 부분적으로는 몇몇 물리 법칙에서 면제된 듯 보이는 드물고 초자연적인 운동선수 중 하나라는 것이다. 좋은 예로 마이클 조던[11]은 비인간적으로 높이 점프할 수 있었을 뿐 아니라 중력이 허용

---

10 나달이나 세리나 윌리엄스처럼 사람보다는 만화 속 슈퍼 영웅처럼 보이는 선수도 있다.

하는 것보다 한두 박자 더 오래 허공에 떠 있을 수 있었으며 무하마드 알리는 링 바닥을 실제로 '떠다니'며 잽을 한 번

11　앞에서 언급한 특별 **일대일** 인터뷰에서 다른 운동선수 중에 이를테면 누구의 동작이 아름답게 보이느냐고 물었더니 페더러는 조던을 맨 먼저 언급하고 그다음에 코비 브라이언트를 거론하고 나서 이렇게 말한다. "지네딘 지단처럼 매우 편안하게 경기하는 축구 선수요. 지단은 실제로는 엄청나게 애쓰지만, 겉으로는 결과를 얻으려고 열심히 노력할 필요가 없는 것처럼 보이죠." 이어지는 질문에 대한 페더러의 답이—평론가와 동료 선수들이 페더러 자신의 플레이를 '아름답다'고 하는 것에 대해 어떻게 생각하느냐고 물었다—흥미로운 주된 이유는 그의 대답이 실제로는 아무 말도 하지 않으면서도 (페더러 자신처럼) 유쾌하고 지적이고 협조적이기 때문이다(공정을 기하자면, 자신을 아름답다고 하는 타인의 묘사에 대해 할 말이 뭐가 있겠는가? 여러분이라면 뭐라고 말하겠는가? 결국 바보 같은 질문이었다). "그건 사람들이 맨 처음 보는 것입니다. 그들에게는 그것이야말로 당신이 '가장 잘하는' 것이죠. 존 매킨로를 처음 봤을 때 뭐가 보이던가요? 믿기지 않는 재능을 가진 사람이 보였을 겁니다. 그의 플레이 때문이죠. 그렇게 플레이하는 사람은 아무도 없었습니다. 그가 공을 다루는 방식은 오로지 '느낌'에 대한 것이었습니다. 그런 다음 보리스 베커로 넘어가면 **아시다시피** '강한' 선수가 바로 눈에 들어오죠. 제가 경기하는 장면을 보면 '아름다운' 선수가 눈에 들어옵니다. 아마도 그다음에 빠르다는 게 보이고 아마도 그다음에 좋은 포핸드를 가진 것이 보이고 아마도 그다음에 좋은 서브를 가졌다는 게 보일 겁니다. 처음에는 아시다시피 기초가 있고, 제게는 아시다시피 그건 대단하다고 생각합니다. 제가, 아시다시피 플레이 스타일 때문에 기본적으로 '아름답다'라고 불리는 건 무척 행운입니다. 딴 선수들은 '근성'이 있고, 어떤 선수들은 '강타자'이고, 또 어떤 선수들은 '준족'입니다. 저는 '아름다운 선수'라고 불리는 것이고요. 정말 근사한 일이죠."(*주의: 페더러의 대화에서 두드러지는 틱으로 '아마도maybe'와 **아시다시피**you know가 있다. 결국 이 틱이 유익한 것은 그가 실제로 얼마나 터무니없이 젊은가를 상기시키기 때문이다. 여러분이 궁금하다면, 이 세계 최고의 테니스 선수는 흰색 워밍업 바지와 소매가 긴 흰색 마이크로파이버 셔츠—아마도 나이키—차림이다. 하지만 스포츠 코트는 안 입었다. 악수할 때 힘을 주지는 않지만, 손 자체는 목수처럼 거칠다. 테니스 선수들은 굳은살이 많이 박이는 경향이 있는데, 그 이유는 분명하다. 그는 텔레비전에서 보는 것보다 약간 크다. 어깨가 더 넓고 가슴이 더 깊다. 그는 선캡과 머리띠로 덮인 탁자 옆에 있다. 샤피 유성펜으로 사인던 참이었다. 그는 다리를 꼬고 유쾌한 미소를 짓고 있으며 매우 편안해 보인다. 유성펜을 빙빙 돌리는 일은 한 번도 없다. 나의 전반적 인상은 로저 페더러가 매우 괜찮은 사람이거나 언론을 다루는 일에 매우 능숙한 사람이라는 것이다. 아니면 둘 다인지도. 그럴 가능성이 가장 크다.)

날릴 시간에 두세 번 날릴 수 있었다. 1960년 이후로 이런 사례가 대여섯 개에 이를 것이다. 로저 페더러는 이 유형, 즉 천재, 돌연변이, 화신이라고 불릴 만한 유형이다. 그는 서두 르거나 균형을 잃는 법이 없다. 그에게 날아오는 공은 실제 로 그래야 하는 것보다 몇 분의 1초 오래 머물러 있는다. 그 의 동작은 운동의 동작보다는 무용의 동작에 가깝다. 알리, 조던, 마라도나, 웨인 그레츠키[12]와 마찬가지로 그는 자신이 맞닥뜨리는 사람들보다 덜 실체적이면서도 더 실체적인 것처 럼 보인다. 특히 윔블던에서 권위를 내세워 여전히 요구하는 백색 일색으로 차려 입으면 그는 (내 생각에) 마땅히 그래야 할 모습으로 보인다. 그것은 살과 (영문은 알 수 없지만) 빛의 몸을 입은 존재다.

공이 마치 스위스인의 의지에 순응하듯 고분고분하게 허공에 머무르고 느려지는 이 현상에는 진정한 형이상학적 진실이 있다. 다음 일화를 보라. 7월 7일 준결승전에서 페 더러가 요나스 비에르크만을 박살 낸―그냥 이긴 게 아니라 '박살' 냈다―뒤에, 그리고 경기 후 의무 기자회견에서 (페더 러와 친한) 비에르크만이 "경기장에서 가장 좋은 자리"에서 이 스위스인이 "가장 완벽에 가까운 테니스를 하"는 것을 볼 수 있게 되어 기쁘다고 말하기 직전에 페더러와 비에르크만

---

12 캐나다의 아이스하키 선수로, 역사상 가장 뛰어난 업적을 남긴 선수로 손꼽힌 다.(옮긴이)

이 담소와 농담을 주고받고 있다. 비에르크만이 페더러에게 공이 얼마나 비현실적으로 크게 보이느냐고 묻자 페더러는 "볼링공이나 농구공처럼" 보인다고 대답한다. 페더러의 말은 단순한 농담이며 비에르크만의 기분을 풀어주고 그날 경기가 이례적으로 잘 풀려서 놀랐음을 보여주는 겸손한 화법이지만, 테니스가 그에게 무엇과 같은지 보여주는 의미심장한 장면이기도 하다. 여러분이 초자연적으로 훌륭한 반사 신경과 협응 능력과 빠르기를 지녔으며 높은 수준의 테니스를 한다고 상상해보라. 여러분이 경기에서 경험하는 것은 자신이 경이로운 반사 신경과 빠르기를 지녔다는 사실이 아닐 것이다. 그것은 테니스공이 매우 크고 느리게 움직인다는 사실, 공을 때릴 시간이 언제나 충분하다는 사실일 것이다. 말하자면 테니스공이 쉭 소리를 내며 흐려질 만큼 빠르게 날아다니는 것을 보고서 관중은 여러분이 빠르고 기술이 뛰어나다고 생각하겠지만 여러분 자신이 (실증적으로 실재하는) 빠르기와 기술 같은 것을 경험할 가능성은 전무하다.[13]

---

13 이 주장에 대한 당사자 자신의 특별 일대일 논거. "흥미롭네요. 이번 주에, 실은, 안치치[콤마 마리오, 세계 10위권으로 우뚝 솟은 크로아티아인으로, 수요일 준준결승전에서 페더러가 꺾었다]가 센터 코트에서 제 친구인, 아시다시피 스위스 선수 바브린카[콤마 스타니슬라스, 페더러의 데이비스컵 팀 동료]와 맞붙었습니다. 그래서 아시다시피 제 여자 친구인 미르카[바브리넥, 전직 100위권 여자 선수로, 부상으로 은퇴했으며 지금은 기본적으로 페더러에게 앨리스 B. 토클러스(거트루드 스타인의 연인이자 비서_옮긴이) 같은 역할을 한다]가 주로 앉아 있는 곳으로 경기를 보러 갔는데―윔블던에 오고 나서 처음으로 센터 코트에 경기를 보러 간 것이고, 또한 서브가 얼마나 빠른지, 공을 받아 치려면, 특히 아시다시피 마리오[안치치, 무시무시한

속도는 그중 하나일 뿐이다. 이제 전문적 설명으로 넘어가자. 테니스는 '인치 싸움game of inches[14]'이라고들 하지만 이 클리셰는 주로 샷이 떨어지는 곳을 가리킨다. 선수가 날아오는 공을 때리는 관점에서 본다면 테니스는 사실 마이크로미터 싸움에 가깝다. 임팩트 전후의 찰나적 변화가 공이 어떻게 어디로 날아갈지에 큰 영향을 미친다. 표적이 아주 멀리 있다면 소총을 겨눌 때 조금만 어긋나도 빗맞는 것과 같은 이치다.

이해를 돕기 위해 속도를 훌쩍 늦춰보자. 여러분이 테니스 선수이고 듀스 코너 베이스라인 바로 뒤에 서 있다고 상상해보라. 서브가 여러분의 포핸드 쪽으로 날아온다. 여러분은 옆구리가 공이 날아오는 경로를 향하도록 몸을 틀어 포핸드 리턴을 위해 라켓을 뒤로 젖히기 시작한다. 스트로크의 전진 동작 중반까지 시각화를 멈추지 말라. 날아오는 공은 이제 앞 골반에 바싹—아마도 임팩트 지점에서 15센티미터 앞에—다가와 있다. 여기에 결부되는 몇 가지 변수를 생각해보자. 수직면에서는 라켓 면을 앞이나 뒤로 1~2도 기울이는 것만으로도 톱스핀과 슬라이스가 나뉜다. 라켓 면을 똑바로 세우면 스핀이 없는 플랫한 드라이브가 된다. 수평면

서브로 유명하다] 같은 사람이 서브를 넣을 때 얼마나 빨리 반응해야 하는지 알고 놀랐습니다. 하지만 스스로 코트에 서면 아시다시피 사정이 전혀 다릅니다. 보이는 것이라고는 사실 공뿐이고 공의 속도는 안 보이거든요. …"

14 '종이 한 장 차이'를 일컫는 관용어.(옮긴이)

에서는 라켓 면을 왼쪽이나 오른쪽으로 약간만 옮기고 공을 1밀리초milisecond 일찍이나 늦게 때리는 것만으로 크로스 리턴이냐 다운더라인 리턴이냐가 결정된다. 나아가서 그라운드스트로크 동작과 마무리 동작follow-through의 곡선에 조금만 변화를 줘도 여러분의 리턴이 네트 위로 지나가는 높이가 달라지는데, 여기에 스윙 빠르기(와 어떤 스핀을 먹이는가)가 접목되면 리턴이 상대 코트에 얼마나 깊게 또는 얕게 떨어지는지, 얼마나 높이 튕기는지 등이 달라진다. 물론 이것들은 가장 넓게 구분한 것에 불과하다—이를테면 톱스핀도 무거운 톱스핀과 가벼운 톱스핀이 있고 크로스도 날카로운 크로스와 무딘 크로스가 있다. 공을 몸에 얼마나 가까이 붙이느냐, 어떤 그립을 쓰느냐, 무릎을 얼마나 굽히고/거나 무게를 앞으로 보내느냐, 공을 쳐다보는 동시에 상대 선수의 서브 뒤 움직임을 볼 수 있느냐 등의 변수도 있다. 이 중에서 중요하지 않은 것은 하나도 없다. 이뿐 아니라 여기서 여러분은 정지한 물체를 움직이게 하는 것이 아니라 여러분을 향해 날아오는—프로 테니스의 경우, 의식적 사고가 불가능한 속도로 날아오는—탄도체의 비행 방향을 바꾸고 스핀의 정도를 변화시킨다. 이를테면 마리오 안치치의 첫 서브는 시속 209킬로미터 전후로 날아온다. 안치치의 베이스라인에서 여러분의 베이스라인까지는 23.77미터이므로 그의 서브가 여러분에게 도달하기까지는 0.41초 걸린다.[15] 눈을 빠르게 두 번 깜박이는 시간보다 짧다.

그 결과, 프로 테니스와 관련된 시간 간격은 의도적 행위를 하기엔 너무 짧다. 시간적으로 보자면 우리는 반사, 즉 의식적 사고를 건너뛰는 순전히 신체적인 반응의 범위에 더 많이 속해 있다. 그럼에도 효과적인 서브 리턴은 많은 결정과 신체적 조정에 의존하는데, 눈 깜박이기나 놀랐을 때 뛰어오르기 등보다 훨씬 많은 요인이 결부되어 있고 훨씬 의도적이다.

강서브된 테니스공을 제대로 받아 치려면 이따금 '운동감각kinesthetic sense'이라고 불리는 것이 필요하다. 이것은 복잡하고 매우 빠른 작업 시스템을 통해 몸과 그 인공적 연장延長을 제어하는 능력을 뜻한다. 느낌feel, 터치touch, 형식form, 자기수용proprioception, 협응coordination, 손과 눈의 협응hand–eye coordination, 운동감각kinesthesia, 우아함grace, 제어control, 반사 신경reflexes 등 영어에는 이 능력의 여러 요소를 일컫는 용어가 산더미처럼 많다. 유망한 주니어 선수가 운동감각을 연마하는 것은 우리가 종종 듣는 바 극단적인 일상 연습 계획daily practice regimen의 주된 목표다.[16] 여기서 훈련은 근육과 신경을 아우른

---

15 계산을 단순화하기 위해 여기서는 공이 직선으로 날아간다고 가정한다. 오류 제보는 사양한다. 서브의 바운스를 감안하려고 공의 전체 이동 거리를 비非직각 삼각형의 두 짧은 변의 합으로 간주하여 무작정 계산하면 200~500분의 1초가 더해지는데, 이건 아무 의미가 없다.(테니스장의 표면이 느릴수록 삼각형은 직각에 가까워진다. 빠른 잔디에서는 바운스 각도가 언제나 비스듬하다.)

16 컨디셔닝도 중요하지만, 그것은 몸이 피로할 때 운동감각이 맨 먼저 공격을 받기 때문이다. 그 밖의 적으로는 두려움, 자의식, 극도의 불안이 있으며, 정신적으로 나약한 선수가 프로 테니스에서 드문 것은 이 때문이다.

다. 수천 번의 스트로크를 매일매일 때리면 일반적인 의식적 사고로는 불가능한 것을 '느낌'으로 해내는 능력이 계발된다. 이런 반복 연습은 외부인의 눈에 지루하거나 심지어 잔인하게 보이기 십상이지만, 외부인은 선수의 내면에서 일어나는 일—선수의 내면에서는 끊임없는 미세 조정이 이루어지며, 각 변화의 결과에 대한 감각은 심지어 정상적 의식으로부터 멀어질수록 점점 예리해진다—을 느끼지 못한다.[17]

본격적 운동감각 훈련에 필요한 시간과 규율은 최상급 프로의 대부분이 십 대 초부터—아주 늦은 경우—깨어 있는 시간의 대부분을 테니스에 바친 이유 중 하나다. 이를테면 로저 페더러가 마침내 축구(와 적잖은 어린 시절)를 포기하고 에퀴블랑에 있는 스위스 국립 테니스 훈련소에 들어간 것은 열세 살 때였다. 그는 열여섯 살에 학업을 중단하고 본격적으로 국제 경기에 뛰어들었다.

자퇴한 지 불과 몇 주 만에 페더러는 주니어 윔블던에서 우승했다. 테니스에 전념한다고 해서 모든 주니어 선수가 이렇게 할 수 없음은 분명하다. 그렇다면 시간과 훈련이 전부가 아니며 순수한 재능과 그 재능의 크기가 중요하다는 사실도 분명하다. 수년간에 걸친 연습과 훈련의 결실을 헛되게 하지 않기 위해서만으로도 아동에게 비범한 운동감각 능

---

17 일상생활에 비유하자면 경험 많은 운전자가 실제로는 주의를 기울이지 않으면서도 안전 운전에 필요한 수많은 자잘한 결정과 조정을 할 수 있는 것과 가장 비슷할 것이다.

력이 있어야—그것도 상당히 많아야—하지만 … 시간이 지나면서 그중에서도 진국이 올라와 분리되기 시작한다. 따라서 페더러의 승승장구를 전문적으로 설명하는 한 가지 방법은 그가 나머지 남자 프로에 비해 운동감각적으로 단지 조금 더 재능이 있다는 것이다. 조금이면 충분하다. 100위 안에 드는 선수는 누구나 운동감각적 재능을 타고났기 때문이다. 하지만 테니스는 인치 싸움 아니던가.

이 대답은 그럴듯하지만 불완전하다. 1980년에는 그렇지 않았겠지만. 그러나 2006년에는 이런 재능이 왜 아직도 이토록 중요한지 물을 만하다. 교조와 윔블던의 표지판에서 진실인 것을 떠올려보라. 운동감각의 달인이든 아니든 로저 페더러는 이제껏 존재한 남자 프로 중에서 가장 크고 강하고 날렵하고 최고의 훈련과 코칭을 받는 분야를 지배하고 있다. 운동감각을 더 섬세하게 조정할 필요가 없는 일종의 핵 라켓을 다들 쓰는 상황에서 말이다. 이는 메탈리카 콘서트에서 모차르트를 휘파람으로 불려는 것과 같다.

믿을 만한 소식통에 따르면 명예 동전 던지미 윌리엄 케인스에게는 이런 뒷이야기가 있다. 그가 두 살 반 되었을 때 어머니가 그의 배에서 덩어리를 발견하고 의사에게 데려갔는데, 이 덩어리는 악성 간 종양으로 진단되었다. 어린아이가 화학요법을, 그것도 강한 화학요법을 받고 어머니가 아이를 지켜보고 집으로 데려가고 돌보고 더 많은 화학요법을 위해 병원으로 다시 데려가야 하는 것이 어떤 것인지 상상하는 것은 물론 불가능하다. 그녀는 아이의 물음에, 크나큰 물음이자 명백한 물음에 어떻게 답했을까? 그녀의 물음에는 누가 답할 수 있었을까? 어떤 신부나 목사에게 묻더라도, 기괴하지 않게 어떤 대답을 해줄 수 있었을까?

결승전 2세트에서 2대 1로 이기고 있는 나달이 서브를 넣는다. 페더러는 첫 세트를 러브 게임[18]으로 따냈지만 그 뒤에, 이따금 그렇듯 조금 진이 빠져 와르르 무너지고 있다. 이제 나달의 어드밴티지[19]에서 열여섯 스트로크 만에 포인트가 난다. 나달은 파리에서보다 시속 32킬로미터 빠르게 서브를 넣고 있다. 이번 서브는 다운더센터down the center[20]다. 페더러가 부드러운 포핸드를 네트 위로 높이 띄운다. 이렇게 할 수 있는 건 나달이 결코 서브 뒤에 전진하지 않기 때문이다. 이번에는 스페인인이 특유의 강한 톱스핀 포핸드를 페더러의 백핸드 깊숙이 때리자 페더러가 클레이 코트의 샷에 가까운 더 강한 톱스핀 백핸드로 맞선다. 뜻밖의 샷에 나달이 약간 주춤한다. 그가 때린 낮고 단단한 쇼트볼이 페더러의 포핸드 사이드에서 서비스라인의 'T'를 살짝 지나 안착한다. 나달이 아닌 선수를 상대하고 있었다면 페더러는 대부분 이런 볼로 포인트를 깔끔하게 마무리할 수 있었겠지만, 나달이

---

18 테니스 경기에서 한쪽 편이 무득점으로 끝난 게임.(옮긴이)

19 테니스에서 듀스 후에 어느 쪽이 먼저 한 점을 얻는 일.(옮긴이)

20 테니스에서 상대편 코트의 센터 선과 평행하게 직선으로 공을 보내는 기술.(옮긴이)

페더러를 괴롭히는 이유 중 하나는 남들보다 빨라서 그들이 못 잡는 공을 잡을 수 있다는 것이다. 그래서 페더러는 여기서 그냥 플랫한 중간 세기의 크로스 포핸드를 때린다. 그가 노린 것은 위너가 아니라 나달을 자신의 백핸드인 듀스 사이드로 몰아붙이는 얇은 각도의 공이다. 나달이 달리면서 다운더라인 백핸드를 페더러의 백핸드 쪽으로 세게 때리자 페더러는 똑같은 선상으로 슬라이스를 돌려보내는데, 백스핀을 먹인 느리고 가벼운 공에 나달이 같은 지점으로 돌아온다. 나달이 슬라이스로 응수하자—지금까지 세 번의 샷이 똑같은 다운더라인으로 왔다—페더러가 한 번 더 같은 지점으로 슬라이스를 날리고—이번에는 더 느리고 더 가볍다—나달은 제자리에서 똑같은 다운더라인으로 강하게 양손 백핸드를 때린다. 마치 나달이 듀스 사이드에 진을 친 꼴이다. 더는 샷과 샷 사이에 베이스라인 중앙으로 돌아가지 않는다. 페더러는 나달에게 약한 최면을 걸었다. 이제 페더러가 쉭 소리를 내는 매우 강한, 깊은 톱스핀 백핸드를 나달의 베이스라인 애드 사이드에 살짝 걸친 지점으로 때리고 나달이 이것을 받아 포핸드 크로스로 돌려보낸다. 페더러가 그보다 더 강하고 묵직한 크로스 백핸드를 베이스라인 깊이 때린다. 공이 하도 빨라서 나달은 뒷발에 체중을 실은 상태에서 포핸드를 때려야 하며 이제 허둥지둥 중앙으로 돌아온다. 한편 샷은 이번에도 페더러의 백핸드 사이드에 (아마도) 60센티미터 앞쪽으로 떨어진다. 로저 페더러가 이 공으로 다가가 이번에는 전혀 다른 크로스 백핸드를 때린다. 훨씬 짧고 각도가 예리하고—아무도 예상 못한 각도였다—묵직하고 톱스핀 때문에 흐려진 채 사이드라인 바로 안쪽에 얕게 떨어져 강하게 튕겨 오른다. 저 각도와 톱스핀 때문에 나달은 전진하여 공을 가로채지도 베이스라인을 따라 옆으로 공에 도달하지도 못한다. 이것으로 포인트가 마무리된다. 기막힌 위너, 페더러 모멘트다. 하지만 이 장면을 실제로 보면 페더러가 네 샷, 심지어 다섯 샷 먼저 이 위너를 준비하기 시작했음을 알 수 있다. 첫 다운더라인 슬라이스 이후의 모든 것은 나달을 어르고 달래고 그의 리듬과 균형을 깨뜨려 마지막의 상상 못할 각도—극단적 톱스핀이 아니었으면 불가능했을 각도—를 열어젖히기 위한 스위스인의 설계였다.

극단적 톱스핀은 오늘날 파워 베이스라인 플레이의 대표적인 특징이다. 이 점에서 윔블던의 표지판은 옳다.[21] 하지만 왜 톱스핀이 그토록 결정적인가를 이해하는 사람은 많지 않다. 통념은 첨단 기술 복합 재료 라켓 덕에 공이 훨씬 빨라졌다는 것이다. 전통의 나무 방망이와 알루미늄 야구 방망이의 차이처럼 말이다. 하지만 이 교조는 틀렸다. 진실은 이것이다. 인장력이 같을 때 탄소 기반 복합 재료는 목재보다 가벼우며 이 덕에 현대 라켓은 구식 크레이머Kramer와 맥

---

21 즉, 표지판에서 '강한 톱스핀'이 '강타자'가 아니라 '지배하는'을 수식한다고 보는 것이다. 실제 뜻은 모르겠지만. 영국 영어 문법은 별난 구석이 있다.

스플라이Maxply보다 무게가 50~60그램 가볍고 너비가 적어도 2.5센티미터 넓다. 결정적인 것은 라켓 면의 너비다. 면이 넓으면 줄의 총면적이 커져서 스위트 스폿sweet spot[22]이 커진다. 복합 재료 라켓은 공이 줄의 기하학적 중심에 정확하게 맞지 않아도 좋은 구속을 낼 수 있다. 톱스핀도 정확할 필요가 없다. 톱스핀을 먹이려면 라켓 면을 기울여 위쪽으로 곡선을 그리며, 공을 정통으로 때린다기보다는 쓸어 올린다는 기분으로 스트로크를 때려야 하는데, 나무 라켓으로는 여간 힘든 일이 아니었다. 라켓 면이 작아서 스위트 스폿이 콩알만 하기 때문이다. 복합 재료 라켓은 무게가 가볍고 머리의 폭이 넓고 중앙부가 넉넉해서 선수들이 더 빠르게 스윙하고 더 많은 톱스핀을 공에 먹일 수 있으며 … 한편 톱스핀을 공에 더 많이 먹일 수 있으면 공을 더 세게 칠 수 있다. 빗맞힐 여지가 줄어들기 때문이다. 톱스핀을 먹이면 공이 네트 위로 높이 뾰족한 호를 그리며 (멀리 날아가버리는 게 아니라) 상대 코트에 빠르게 내리꽂힌다.

따라서 여기서의 기본 공식은 복합 재료 라켓 덕에 톱스핀을 더 많이 먹임으로써 그라운드스트로크를 20년 전보다 훨씬 빠르고 강하게 때릴 수 있게 되었다는 것이다. 지금은 남자 프로가 스트로크의 힘에 몸이 딸려 올라가 허공에

---

22 골프채, 테니스 라켓, 야구의 배트 따위에서 공이 가장 효과적으로 쳐지는 부분.(옮긴이)

머무는 장면을 흔히 볼 수 있다. 예전에는 지미 코너스에게서나 볼 수 있는 장면이었다.

그건 그렇고 코너스는 파워 베이스라인 플레이의 아버지가 아니었다. 그가 베이스라인에서 강타를 날린 것은 사실이지만, 그의 그라운드스트로크는 플랫하고 스핀이 없었으며 네트 위를 매우 낮게 스쳤다. 비에른 보리도 진정한 파워 베이스라이너는 아니었다. 보리와 코너스 둘 다 고전적 베이스라인 플레이를 나름의 방식으로 구사했으며, 이는 더 고전적인 서브 앤드 발리 플레이의 대항력으로 진화했다. 서브 앤드 발리는 수십 년간 남자 파워 테니스의 지배적 형태였으며 이를 대표하는 현대의 가장 위대한 선수는 존 매킨로다. 여러분은 이 모든 사실을 알고 있을 것이다. 매킨로가 보리를 꺾은 뒤에 남자 경기를 주무르다가 1980년대 이른 중엽에 (a) 현대 복합 재료 라켓[23]과 (b) 이반 렌들이 등장하면서 내리막을 걸었다는 사실 또한 알고 있을지도 모르겠다. 렌들은 초기 형태의 복합 재료 라켓으로 경기했으며 파워 베이스라인 테니스의 진정한 창시자였다.[24]

이반 렌들은 복합 재료 라켓의 특수한 능력에 맞춰 설계된 스트로크와 전술을 구사한 최초의 최상급 프로 선수

---

23 코너스와 매킨로 둘 다 복합 재료 라켓으로 재미를 보지 못했다. 그들의 경기 방식은 현대 이전의 라켓에 맞게 인이 박혀 있었다.

24 형식 면에서 렌들의 매서운 포핸드, 치명적인 한손 백핸드, 가차 없는 쇼트볼 처리 등은 어떻게 보면 페더러의 탄생을 예견했다. 하지만 이 체코인은 뻣뻣하고 냉담

였다. 그의 목표는 베이스라인에서 패싱샷이나 완벽한 위너로 포인트를 따내는 것이었다. 그의 무기는 그라운드스트로크, 특히 포핸드였다. 그는 공에 엄청난 톱스핀을 걸어 위압적인 속도로 때려낼 수 있었다. 렌들이 속도와 톱스핀을 결합하여 구사한 스트로크는 파워 베이스라인 플레이의 탄생에 결정적인 역할을 했다. 그는 강하게 때린 그라운드스트로크에서 극단적이고 보기 드문 각도를 끌어낼 수 있었는데, 주된 이유는 빠른 구속과 묵직한 톱스핀 덕에 공이 선을 벗어나지 않고 뚝 떨어지기 때문이다. 돌이켜 생각해보면 이것이 공격형 테니스의 물리학을 송두리째 바꿨다. 수십 년간, 서브 앤드 발리가 그토록 치명적이었던 것은 각도 때문이었다. 선수가 네트에 가까이 다가갈수록 상대 코트는 더 많이 열린다. 발리의 고전적 이점은 베이스라인이나 미드코트에서 시도했다면 아웃이 되었을 만한 앵글샷을 때릴 수 있다는 것이었다. 하지만 톱스핀을 먹인 그라운드스트로크는, 만일 정말로 극단적이라면 공을 빠르고 얕게 가라앉혀 이와 똑같은 앵글샷을 대부분 구사할 수 있다. 여러분이 때린 그라운드스트로크가 다소 숏볼이라면 더욱 효과적이다(비거리가 짧을수록 각도를 크게 할 수 있다). 속도, 톱스핀, 공격적 베이스라인 앵글샷이 어우러지면, 이것이 바로 파워 베이스라

하고 잔혹했다. 그의 경기는 압도적이지만 아름답지는 않다. 나의 대학 복식 파트너는 렌들을 보는 것이 영화 〈의지의 승리Triumph des Willens〉(나치 전당 대회를 기록한 레니 리펜슈탈의 다큐 영화_옮긴이)를 3D로 보는 것과 비슷하다고 묘사했다.

인 플레이다.

이반 렌들이 불멸의 위대한 테니스 선수였던 것은 아니다. 그는 묵직한 톱스핀과 무지막지한 힘이 베이스라인에서 무엇을 성취할 수 있는지 보여준 최초의 최상급 프로였을 뿐이다. 더 중요한 사실은 그 성취가 복합 재료 라켓과 마찬가지로 재현 가능했다는 것이다. 신체적 재능과 훈련의 문턱값을 넘은 뒤의 주된 요건은 운동 능력, 공격성, 뛰어난 근력과 지구력이었다. 그 결과는—이런저런 복잡한 사항과 하위 분야가 있지만 건너뛰기로 한다[25]—남자 프로 테니스의 지난 20년이었다. 점점 크고 강하고 튼튼해지는 선수들이 전례 없는 구속과 톱스핀을 구사하여 자신이 공략할 수 있는 짧거나 약한 공을 힘으로 누르려 했다.

통계가 이를 입증한다. 2002년 윔블던 남자 결승전에서 레이턴 휴잇이 다비드 날반디안을 꺾었을 때 서브 앤드 발리 포인트는 단 한 점도 나지 않았다.[26]

일반적인 파워 베이스라인 경기는 지루하지 않다. 옛 서브 앤드 발리의 2초 포인트나 고전적 베이스라인 소모전의 지루한 문볼 주고받기에 비하면 분명히 그렇다. 하지만 다소 정적이고 제한적이기는 하다. 그렇더라도 평론가들이 오래전

---

25 이를테면 일부 서브 앤드 발리는 1990년대 내내 빠른 코트에서 계속 효과를 봤다. 주로 에이스와 빠르기에 많이 치중하는 샘프러스나 래프터의 변형된 형태였다.
26 2002년이 윔블던에서 페더러가 결승에 진출하지 못한 마지막 해라는 사실도 의미심장하다.

부터 대놓고 우려한 테니스의 진화적 종점은 아니다. 이것이 참임을 입증한 선수가 바로 로저 페더러다. 게다가 그는 현대 플레이 '안에서' 이를 입증했다.

여기서 중요한 것은 이 '안에서'다. 이것이야말로 순수한 신경학적 설명이 놓치고 있는 것이다. 터치와 섬세함 같은 섹시한 특징을 오해해서는 안 되는 이유도 이것이다. 페더러에게 이것은 양자택일의 문제가 아니다. 이 스위스인은 그라운드스트로크에서 렌들과 애거시의 속도를 고스란히 구사하면서도 스윙할 때는 땅을 박차고 심지어 나달을 백코트에서 공략할 수 있다.[27] 윔블던의 표지판에서 정말로 기이하고 잘

---

27 2006년 결승전 3세트, 3대, 3 30-15에서 나달이 두 번째 서브를 페더러의 백핸드 쪽으로 높이 꽂아 넣는다. 나달은 페더러의 백핸드 쪽에 높고 강하게 치라는 조언을 받은 게 틀림없다. 매 포인트마다 그렇게 한다. 페더러가 슬라이스로 나달의 정면에 60센티미터 짧게 리턴을 보낸다. 이 스페인인이 위너를 때릴 수 있을 만큼 짧지는 않지만 그를 코트 안쪽으로 살짝 끌어들일 수 있을 만큼은 짧다. 그곳에서 나달이 와인드업을 하더니 포핸드의 온 힘을 짜내 (이번에도) 페더러의 백핸드로 강하고 묵직한 샷을 날린다. 공에 속도를 싣느라 나달이 여전히 베이스라인 쪽으로 뒷걸음질하는데 페더러가 발을 들면서 매우 강한 톱스핀 백핸드를 나달의 듀스 측면으로 보낸다. 나달은 위치를 잡지 못했으나 세계적인 빠르기로 달려가 한손 백핸드를 (이번에도) 페더러의 백핸드 쪽에 깊게 넣지만, 이 공은 높이 떠서 느리게 날아간다. 페더러는 시간을 두고 스텝을 밟더니 인사이드아웃 포핸드를, 토너먼트를 통틀어 가장 강한 포핸드를 나달의 애드 코너에 떨어질 만큼의 톱스핀을 넣어 때린다. 스페인인은 거기까지는 가지만 리턴은 하지 못한다. 열렬한 박수가 터져 나온다. 다시 한번, 압도적인 베이스라인 위너처럼 보이는 이 공은 실은 처음의 영리한 반半쇼트 슬라이스와 페더러 자신이 각각의 공을 어디에 얼마나 세게 때릴 것인지에 대한 나달의 예측을 이용하여 계획되었다. 하지만 페더러는 마지막 포핸드를 확실히 강타로 마무리했다. 사람들은 서로 쳐다보며 박수갈채를 보낸다. 페더러는 모차르트와 메탈리카를 합친 격이며, 그런데도 그의 화음은 아름답다. 그나저나 바로 이 즈음인지 다음 게임인지를 보는데 내면에서 별개의 세 가지가 합쳐져 섞인다. 첫 번째는 살아

못된 것은 전반적인 침통한 어조다. 섬세함, 터치, 기량은 파워 베이스라인 시대에 죽지 않았다. 버젓한 파워 베이스라인 시대인 2006년에도 마찬가지다. 로저 페더러는 끝내주는 일류 파워 베이스라이너다. 이것이 그의 전부가 아닐 뿐. 그에게는 지능, 신비한 예측 능력, 코트 감각, 상대 선수를 파악하고 쥐락펴락하고, 스핀과 스피드를 조합하고, 기만하고 가장하고, 단순히 무지막지한 구속이 아니라 전술적 선견지명과 주변시와 운동감각 범위를 이용하는 능력이 있다. 이 모든 능력은 지금 플레이되는 남자 테니스의 한계를, 가능성을 드러냈다.

　… 물론 이렇게 말하면 매우 과장스럽고 비현실적으로 들리겠지만, 이 선수에게는 과장도 추상도 아님을 부디 이해해달라. 비현실적인 것도 아니다. 렌들이 자신의 주장을 입증한 것과 똑같이 단호하고 실증적이고 압도적인 방식으로 로저 페더러는 오늘날 프로 테니스의 속도와 근력이 그 뼈대일 뿐 살은 아님을 입증하고 있다. 그는 남자 테니스를 비유적으로, 또한 말 그대로 다시 육화肉化했다. 오랜만에 처음으

서 이런 장면을 볼 수 있어서 개인적으로 무척 영광스럽다는 심정이고 두 번째는 윌리엄 케인스가 이곳 센터 코트의 관중 속 어딘가에서 아마도 엄마와 함께 지켜보고 있으리라는 생각이다. 세 번째는 기자단 버스 운전사가 바로 이 경험을 장담하면서 열변을 토하던 갑작스러운 기억이다. 그런 경험이 정말 있으니까. 말로 표현하기는 힘들다. 이건 마치 생각이면서 동시에 감정 같다. 이걸 가지고 호들갑을 떨거나 완벽한 균형이 이루어진 척하고 싶은 사람은 없을 것이다. 그러면 괴상할 테니까. 하지만 어떤 신성, 존재, 에너지, 무작위의 유전적 흐름이 병든 아이들을 만들어냈다면 그것이 로저 페더러 또한 만들어낸 것도 사실이다. 그저 저기 있는 그를 보라. 그저 보라.

로 테니스의 미래가 예측할 수 없게 됐다. 여러분은 구내의 야외 코트에서 올해 주니어 윔블던이 다채로운 발레처럼 펼쳐지는 것을 보았을 것이다. 드롭 발리와 혼합 스핀, 느린 서브, 세 샷 미리 계획한 수—그리고 만인의 문제인 괴성에다 강속구까지. 이곳의 주니어 선수 중에 떡잎 페더러가 있는가는 물론 알 수 없다. 천재는 재현되지 않는다. 하지만 영감은 전염되며 형태가 다양하다. 힘과 공격성이 아름다움 앞에서 맥을 못 추는 광경을 가까이서 보기만 해도 영감과 (찰나의 필멸자적인) 조화를 느낄 수 있다.

2006년

출처

〈토네이도 앨리에서 파생된 스포츠Derivative Sport in Tornado Alley〉는 〈하퍼스〉(1992)에 "테니스, 삼각법, 토네이도Tennis, Trigonometry, Tornadoes"라는 제목으로 처음 발표되었다. 《재밌다고들 하지만 나는 두 번 다시 하지 않을 일A Supposedly Fun Thing I'll Never Do Again》(같은 제목의 한국어판과는 다른 책_옮긴이)에도 실렸다.

〈트레이시 오스틴이 내 가슴을 후벼 판 사연How Tracy Austin Broke My Heart〉은 〈필라델피아 인콰이어러〉(1992)에 처음 발표되었다. 《바닷가재를 생각하라Consider the Lobster》에도 실렸다.

〈선택, 자유, 제약, 기쁨, 기괴함, 인간적 완벽함에 대한 어떤 본보기로서 테니스 선수 마이클 조이스의 전문가적 기예Tennis Player Michael Joyce's Professional Artistry as a Paradigm of Certain Stuff About Choice, Freedom, Limitation, Joy, Grotesquerie, and Human Completeness〉는 〈에스콰이어〉(1996)에 "끈이론The String Theory"이라는 제목으로 처음 발표되었다. 《재밌다고들 하지만 나는 두 번 다시 하지 않을 일》에도 실렸다.

〈유에스 오픈의 민주주의와 상업주의Democracy and Commerce at the U.S. Open〉는 〈테니스〉(1996)에 처음 발표되었다. 《살과 빛의 몸을 입은 페더러Both Flesh and Not》에도 실렸다.

〈살과 빛의 몸을 입은 페더러Federer Both Flesh and Not〉는 〈뉴욕 타임스〉(2006)에 "종교적 경험으로서의 페더러Federer as Religious Experience"라는 제목으로 처음 발표되었다. 《살과 빛의 몸을 입은 페더러》에도 실렸다.

옮긴이의 말

알마 출판사 대표를 처음 만난 것은 2018년 8월 14일 화요일이었다. 며칠 뒤에 연락이 왔다. 데이비드 포스터 월리스의 에세이를 번역해줄 수 있느냐는 것이었다. 마침 월리스의 《재밌다고들 하지만 나는 두 번 다시 하지 않을 일》(바다출판사, 2018)을 재미있게 읽고 있었고 매슈 크로퍼드의 《당신의 머리 밖 세상》(문학동네, 2019)과 《제임스 글릭의 타임 트래블》(동아시아, 2019)을 작업하면서 그 속에 인용된 월리스의 글을 번역해본 적이 있었기에 두 번 생각하지 않고… 거절했다.

《재밌다고들 하지만 나는 두 번 다시 하지 않을 일》을 읽으면서 나는 김명남 번역가에게 한편으로는 고마우면서도 다른 한편으로는 미안했다. 한국어로만 읽어도 저자의 배배 꼬인 문장과 제멋대로 신조어와 적응하기 힘든 악취미를 실감할 수 있었으니까. 난해한 원문을 이렇게 깔끔한 문장으로 번역하느라 얼마나 고생했을지 짐작하고도 남았다. 월리스 번역이야말로 '재밌다고들 하지만 나는 두 번 다시 하지 않을 일'이니까.

이 책의 문장 중에서 아무거나 하나 골라보자.

안티토이를 향해 후려친 공이 좌에서 우로 급격히 휘어지고 어떤 이유에서인지 방금 친 공을 뒤쫓아 달려가려고 했지만 내가 친 공을 뒤쫓아 달려가려고 했을 리는 없었던 광경이 기억나는 듯도 하지만, 허벅지가 묵직하고 부드럽게 밀어 올려지고 공이 반대로 휘어 내게 다가오고 내가 공을 지나쳤다가 수평의 네트 위로 공중의 공을 때리고 땅을 한 번도 디디지 않은 채 12미터 위로 만화처럼 치솟아 허공에 검불과 오물이 널려 있는데 안티토이와 나는 둘 다 맹세컨대 15미터를 날았거나 빙글빙글 날려 한 코트 너머 동쪽 끝 펜스에 하도 세게 부딪혀서 펜스를 반쯤 쓰러뜨려 45도로 기울이고, 안티토이는 망막이 떨어져 나가 여름내 카림 압둘 자바풍의 근사한 고글을 써야 했고, 펜스는 냄비에 맞은 남자의 얼굴 자국이 냄비에 찍히는 만화에서처럼 몸뚱이 모양으로 두 군데가 파여 포수 마스크 두 개가 되고, 우리는 둘 다 얼굴과 몸통과 다리 앞쪽에 펜스 자국이 사각형으로 깊게 파이고 여동생은 우리가 와플처럼 보인다고 말했으나 우리 둘 다 중상을 입지는 않았고 누구의 집도 파손되지 않았다.

한 문단이 아니라 한 '문장'이다. 저런 문장이 한둘이 아니다. 위에서 보듯 윌리스의 전략은 여러분 두뇌의 처리 용량을 초과하는 문장을 써서 과부하를 일으킴으로써 비판적 독해에 필요한 연산이 불가능하도록 하는 것이다. 배배 꼬인 문장을 해독하느라 에너지를 소모한 여러분의 두뇌는 달콤한 것을 갈구하기에 (곁에 마카롱과 흑당밀크티가 없다면) 윌리스의 달짝지근한 다음 문장을 게걸스럽게 흡입한다. 윌리스의 불순한 의도를 뻔히 아는 나로서는 한국 독자들에게 정신 바짝 차리라고 경고하고 싶지만, 그의 문장을 번역하다 보면 나도 그만 몽롱해져 번역자의 본분을 잊고 만다. (그의 기나긴 영어 문장을 기나긴 한국어 문장으로 번역하면서 사디스트적 쾌감을 느꼈다는 말까지는 차마 못 하겠지만.) 세상에 정의라는 게 있다면, 번역자가 힘들었던 만큼 독자도 힘들어야 하지 않겠는가.

윌리스를 (나처럼) 띄엄띄엄 아는 독자는 그의 테니스 에세이가 단행본 한 권으로 엮을 만큼 많다는 사실에 놀랐을 것이다. 이미 한국어판으로 발표된 〈살과 빛의 몸을 입은 페더러〉(《재밌다고들 하지만 나는 두 번 다시 하지 않을 일》에는 〈페더러, 육체이면서도 그것만은 아닌〉이라는 제목으로 수록)는 그의 주요 작품으로 꼽을 만하고 독자들에게도 친숙하겠지만 나머지 에세이는 전부 처음 접했을 것이다. 도대체 어딜 봐서 월리스와 테니스가 (각운이 맞는다는 점만 빼면) 어울린다고 말할 수 있겠는가. 미국 대중문화와 소비주의적 삶의 방식을 비판하는 작가이니까 복고반동적이고 엘리트주의적인 귀족 스포츠에 호감을 느낄 수도 있다는 건가. 그런데 책을 읽어 가다 보면 테니스야말로 월리스의 성격에 꼭 맞는 스포츠인지도 모르겠다는 생각이 들기 시작한다. 월리스라는 작가를 만난 것이 테니스라는 스포츠에는 행운이라고 말할 수 있을 만큼.

프로 테니스 선수에 대한 묘사에서 드러나는 월리스의 태도를 쉽게 표현하면 이렇다. 부장이 내게 버거운 업무를 맡긴 날, 동료들과 술 한잔하면서 하소연한다. "부장 ○○는 전생에 나랑 원수 졌나? 이걸 일주일 안에 해내라고?" 그때 동료 하나가 대꾸한다. "자신에게 자극이 되는 업무를 해봐야 자극도 되고 성장도 할 수 있지 않겠어? 쉬운 일만 하면 뒤처진다구." 그 뒤의 분위기는 안 봐도 뻔하다. 옳은 말이지만 어디서도 환영받지 못하는 말. 진정성이 조롱받고 아이러니가 쿨함으로 통하는 21세기에 월리스는 인간에 대한 신뢰를 감히 언급한다. 월리스의 전작에 흐르는 기조는 도발에 맞선 도발이라고 볼 수 있을 것이다. 이 얇은 책에서도 독자 여러분은 그의 사상과, 인간과 삶을 대하는 태도를 생생하게 경험할 수 있으리라.

노승영

끈이론

1판 1쇄 펴냄 2019년 11월 28일
1판 3쇄 펴냄 2023년 4월 5일

지은이 데이비드 포스터 월리스
옮긴이 노승영
펴낸이 안지미

펴낸곳 (주)알마
출판등록 2006년 6월 22일 제2013-000266호
주소 04056 서울시 마포구 신촌로4길 5-13, 3층
전화 02.324.3800 판매 02.324.7863 편집
전송 02.324.1144

전자우편 alma@almabook.by-works.com
페이스북 /almabooks
트위터 @alma_books
인스타그램 @alma_books

ISBN 979-11-5992-271-8 03840

알마는 아이쿱생협과 더불어 협동조합의 가치를 실천하는 출판사입니다.